슬기로운 다부살이

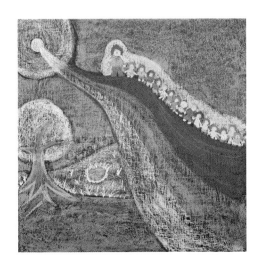

슬기로운 다부살이

발   행 | 2024년 3월 6일
저   자 | 다부교육공동체
펴낸이 | 한건희
펴낸곳 | 주식회사 부크크
출판사등록 | 2014.07.15.(제2014-16호)
주   소 | 서울특별시 금천구 가산디지털1로 119 SK트윈타워 A동 305호
전   화 | 1670-8316
이메일 | info@bookk.co.kr

ISBN | 979-11-410-7512-5

school.gyo6.net/daboo
ⓒ 다부교육공동체

우리는
다부교육공동체에서 살고 있다

학교는 해마다 3월이 되면 구성원이 바뀐다. 1학년 새 식구가 생기고, 6학년 졸업생을 떠나보낸다. 교직원도 근무 기간이 정해져 있어서 옮길 때가 있다.

우리 학교는 학생, 학부모, 교직원이 모두 함께 교육공동체를 만들어 가고 있다. 공동체 삶을 살아가는 사람들과 새로 시작하는 사람들을 연결하기 위해 다양한 목소리를 민주적인 방식으로 담아내려고 노력하고 있다.

다부교육을 잘 전할 수 있는 방법은 뭐가 있을까?

다부리 마을에 함께 살지 않는 학부모와 다부교육공동체는 어떻게 만들어가야 할까?

서로 다른 삶을 살아가고 있는 사람들이 모인 공동체에서 우리는 어떻게 소통할 수 있을까?

내 아이만이 아니라 우리 아이로 바라보기 위해 우리는 어떤 시도를 하고 있는가?

질문에 대한 답을 얻기 위해 학교 변화를 꾸준하게 시도하고 있다. 그 시도들을 기록으로 남기는 작업은 무엇보다 중요하다. 해마다 필요성은 모두 동의하지만 시도는 참 어려웠다. 사실 작년에 시작한 시도가 없었더라면 올해 이 결과물은 볼 수 없었다.

다부교육공동체는 지금 함께 만들어 가는 중이다. 그래서 어떤 행사를 준비하더라도 학생, 학부모, 교직원의 목소리를 모두 담으려고 노력하고 있다. 이 작업 또한 모두가 함께 만들기 위해 고민을 많이 했다.

먼저 2022년에 입학해서 다부에서 2학년까지 살아본 아이들과 2023년 입학한 1학년이 2024년 올해 입학할 동생에게 다부살이에 대해 알려줄 수 있다면 참 좋겠다는 꿈을 꾼 적이 있다. 어른 눈높이를 아무리 아이 눈높이에 맞춰도 1학년 삶을 직접 살아본 1학년 아이들보다 나을 수 있을까.

2022년에 1학년이었던 친구들과 이 작업을 시작했지만 끝까지 마무리를 짓지 못했다. 그 아쉬움이 너무 커서 다시 올해 1학년, 2학년 함께 작업을 했다. 학년말 많이 바쁜 학교 일정 속에서도 적극 참여해 준 1학년, 2학년 담임선생님께 고마움을 전하고 싶다.

2022년 1학년 학부모로 살아온 이야기를 표현해 주신 소중한 글을 책에 싣지 못해 늘 마음 한 켠이 불편했는데 그 글을 여기에 담을 수 있어 참 다행이다.

이 과정을 옆에서 지켜보던 6학년 선생님은 졸업을 앞두고 앞으로 이끔이가 될 5학년에게 자신들의 다부살이를 같이 책으로 만들면 좋겠다는 뜻을 밝혔다.

이렇게 만들어진 슬기로운 다부살이가 다부가 꿈꾸는 학생, 학부모, 교직원이 함께 만들어가는 교육공동체에 밑거름이 되면 좋겠다.

2024. 2. 28.

글 실은 순서

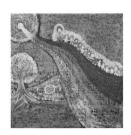

부모님께 인사하기

1학년 박서윤

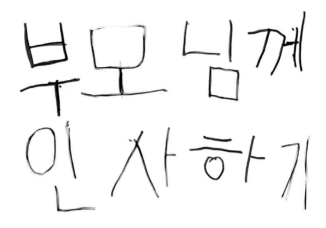

학교 가기 전에 부모님께
인사하기
"학교 다녀오겠습니다."

박서윤

버스에서는 소곤소곤

1학년 김서현

동생아,
버스에서는 꼭 조용히 해야 해.
소곤소곤 말하는 건 괜찮아.
형님들, 친구들, 선생님께
절대 나쁜 말을 쓰면 안 돼.

김서현

학교에 오면요~

1학년 박하율

밥을 먹고, 양치하고, 세수하고,
머리 묶고, 가방 메고, 버스 타고
학교에 왔다.
가방을 가방 자리에 넣고
물 자리에 물을 놔두고
급식메뉴를 적었고 책을 읽었다.

박하율

빨리 준비하기

1학년 이준희

학교 오기 전에
엄마한테
잔소리 안 듣는 방법은
엄마보다 일찍 일어나서
빨리 준비하는 거야.

이준희

버스
탈 때는 빨
려 나와 서
기다리기.

버스 탈 때는 빨리 나와서
기다리기.
그다음 버스를 타.
40분을 타.
학교 내리고 아침 역할하고
공부하면 돼.

하이레

선생님께 인사하기

1학년 박서윤

학교 오면 선생님께 인사하기
"안녕하세요."

박서윤

사물함을 열 때는 한 번 돌리고
그 상태에서 당기면 된다.
닫는 방법은 밀면 된다.

이우진

다쳤을 때 보건실에 가면 돼.
보건실에서 소독도 하지만
그 소독은 물만 묻혀서
안 따가워.
그래서 괜찮아.

이세현

점심 먹으러 가는 길

1학년 이우진

반에서 나가고 왼쪽으로 나가서
쭉 간다.
큰 건물 안으로 들어가면
오른쪽에 급식실이 있다.

이우진

어려워!

1학년 이세현

새로 온 1학년들아!!!
잘 들어봐.
급식 먹을 때 젓가락이야.
그러니까 집에서 연습해.
알겠지?

이세현

식판 정리하는 방법

1학년 류다은

먼저 선생님께 검사를 받고 국물 있는 곳에 다 모아.

애들아 안녕!
이제 내가 2학년이 되고
너희들이 들어오지?
처음 온 너희들에게
식판 정리하는 방법을 알려줄게.
먼저 선생님께 검사를 받고
국물 있는 곳에 다 모아.
그다음에 식판 정리하는 곳에 가.
음식물은 버리고 젓가락이랑 숟가락을 분류해서 넣어.
그다음에 식판 정리하면 끝!

류다은

양치하기

1학년 김지웅

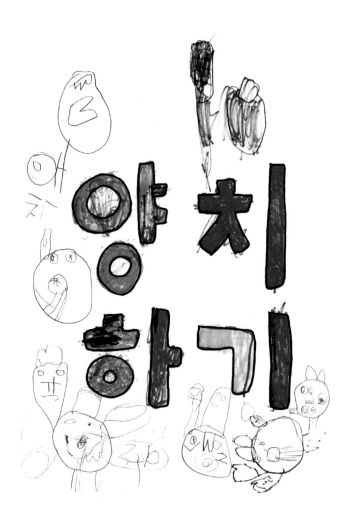

밥을 먹고 양치를 해야 돼.
세균이 있을 수 있어.
칫솔, 치약, 컵을 사물함에서 꺼내.
그리고 화장실에 가.
칫솔에 치약 짜서 이를 닦아.
오래 닦아.
'오그르르 패'를 세 번 해.
입도 닦아. 세수해서.
사물함에 칫솔, 치약, 컵을 넣고
밖에 가서 놀아.

김지웅

친구 괴롭히지 마!

1학년 김서현

동생아,
절대 친구를 괴롭히지 말고
못생기거나 공부 못한다고
놀리거나
폭력 같은 나쁜 걸 쓰면 안 돼.

김서현

줄넘기 잘하는 방법

1학년 박여원

그렇게 연습하면 잘 될 거야!!

처음엔 줄넘기를 나도 못했어.
처음엔 누구나 잘 못해.
바로 잘하려고 하지 말고
천천히 연습해.
그렇게 연습하다 보면
너도 잘하게 될 거야.
나도 그렇게 연습하니까 되더라.

박여원

발목줄넘기 잘하는 방법

1학년 이우진

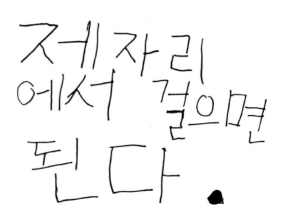

제자리에서 걸으면 된다.

발목 줄넘기를 잘하는 방법은
제자리에서 걸으면 된다.
끼운 발은 차고
반대쪽 발은 걸으면 잘된다.
그래서 차고, 걷고, 차고, 걷고를
반복하면 된다.

이우진

발목줄넘기 잘하는 방법

1학년 임세찬

임세찬♡

 넘어 질수 있으니까
조심해서연습해

발목 줄넘기를 할 때는 걸으면 돼.
처음에는 천천히 걷기부터 연습해.
넘어질 수 있으니까
조심해서 연습해 봐.

임세찬

애들아 안녕?

나는 이제 2학년 아름이야.

나는 1학년 때

스스로 공부를 좋아했어.

2학기 때 수학을 좋아했는데 제일 못

하는 게 수학이야.

왜 내가 꼭 수학을 못하냐고!!!

그래도 괜찮아. 열심히 하면 돼.

유아름

너희들 1학년이 좋은 거야.

알겠지?

왜 좋은지 알려줄까?

왜냐하면

젤 쉬운 공부만 하니까.

이준희

그림 잘 그리는 방법

1학년 이세현

안녕?

나는 예전 1학년 이세현이야.

내가 그림을 어떻게 잘 그렸냐면

내가 토끼를 그릴 때

이렇게 그림을 그려서

잘 그리게 된 거야.

어때? 귀여운 것 같아?

내 눈에는 귀여워.

이 토끼 어떻게 잘 그리게 되었냐면

캐릭터를 열심히 따라 그렸어.

이세현

글씨 잘 쓰는 방법

1학년 이연서

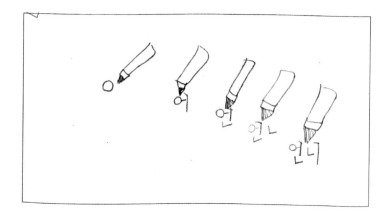

첫 번째, 두 번째 손가락으로
연필을 잡고
나머지 세 손가락으로 받쳐.
글자는 집중하고
천천히 쓰는 거야.
예를 들어, 이렇게.

이연서

편지를 쓰기 전에
일단 뭘 쓸지 생각해.
생각을 다 하고 나면 글씨를 써.
다 썼으면
주고 싶은 친구한테 주면 돼.
(만약에) 생일이면
"생일 축하해!"라고 하면 돼.
사랑하는 사람이면
"사랑해"라고 하면 돼.

박여원

소중한 날이 뭘까?

1학년 이준희

친구를 위해서
편지를 쓰는
거야

소중한 날은
친구를 위해서 편지를 쓰는 거야.

이준희

애들아,
소중한 날은 생일파티야.
간식도 먹어.

이채현

소중한 날은
생일자가 간식을
골라서 올 때 먹어.

소중한 날은
생일자가 간식을 골라서 정하고
간식이 도착하면
간식을 먹는 거지.

하이레

소중한 날에는 있지

1학년 이우진

소중한 날을 다른 말로 하면 생일날이야.
소중한 날에 하는 건
소중한 날 간식 먹기,
소중한 날 놀이하기,
생일 축하 노래 부르기를 해.
소중한 날에 선물도 만들고
칠판에 편지도 써.
너흰 생일이 언제니?

이우진

소중한 날에는 말야

1학년 류다은

애들아 안녕!

내가 2학년이 된 후 너희가 들어왔지?

그럼 내가 소중한 날에 대해 알려줄게.

소중한 날은 그날 생일자한테

선물도 만들고

간식도 먹고 놀이도 해.

재미있겠지?

아! 그리고 사진도 찍고 노래도 불러.

너희들이

좋은 추억을 쌓을 수 있을 거야. 끝!

류다은

용돈을 들고 용돈 수첩도 든다.
2층 매점 앞에서 줄 서고
맛있는 간식을 산다.

이연서

싫은 거 할 때는 말야

1학년 김서현

1. 땅따먹기 잘하는 방법

몸에 힘을 빼고 살살 던지면 된다.

2. 먹기 싫어하는 거 잘 먹는 방법

자기가 좋아하는 걸 눈 감고 생각해서
싫어하는 걸 먹고 물 마시면 된다.

3. 하기 싫은 거 하는 방법

꾹 참고 하면 된다.

4. 국악이 좋아지는 방법

목소리를 크게 하고 부르면
언젠간 좋아진다.

김서현

매점 가는 길

1학년 이우진

매점을 가려면
앞문 앞에 계단이 있다.
그 계단을 올라가고
왼쪽으로 쭉 가다가
오른쪽으로 가서 줄을 서고
간식을 사면 된다.

잘 들어 봐

1학년 박하율

1. 선생님 말씀 잘 듣기.
   선생님 말씀만 들으면 된다.
2. 우린 버스에서 선생님 말씀을 잘 들어야 해.
   (왜냐하면 선생님께 혼나.)
3. 우리는 줄넘기를 배우고 싶을 때
   체육 시간에 줄넘기하고 싶다고
   선생님께 말하면 돼.
4. 줄넘기를 잘하고 싶다면
   박자를 잘 맞추면 돼.
   만약에 된다면 엑스자로 뛰면 돼.
   그것도 된다면 이중 뛰기를 연습해.
   그것이 안 된다면 학원에 다녀.
   엄마한테 학원 다니고 싶다고 말해.

1학년 교실 가는 길

1학년 이우진

일단 버스에서 내려
쭉 앞으로 가면 문이 나온다.
그게 정문이다.
그쪽으로 들어가
왼쪽으로 가면
제일 가까운 문이 나온다.
그 문이 1학년 문이다.

쉬는 시간은 언제 끝나?

1학년 이우진

쉬는 시간이 끝날 때는
형님들이 반으로 들어가면
같이 따라 반으로 들어가.

화장실 가는 방법

1학년 박여원

수업 시간에 화장실이 가고 싶으면
손을 들고 선생님께
"화장실 가고 싶어요!" 라고 말해.
그게 부끄러우면
쉬는 시간에
미리 화장실에 갔다 오는 게 좋아.
또 수업 시간에 참으면 절대 안 돼.
참으면 안 되는 이유는
참으면 배가 아프고
잘 안 나와서 그래.

색칠을 잘 하려면?

1학년 이세현

색칠을 잘하려면
바로 색연필을 써야만 해.
왜냐하면
색연필을 안 쓰면 튀어나와.
그래서 나는 색연필로 해.
너네도 해봐.
잘 될 거야.
색칠 잘하는 방법 이야기 끝.

달리기 잘하는 방법

1학년 이연서

달리기는

처음에는 살살

1년 정도 되면

자신감 넘치게

입학 100일 축하하는 방법
1학년 임세찬

2학년

3학년

4학년

5학년

6학년에게

편지를 주고

떡을 주는 거예요.

100일 동안 잘 다녀서

축하하는 거예요.

선생님께

1학년 이채현

선생님,

1학기

2학기

1학년 돌봐주셔서

감사합니다.

글씨도 알려주셔서

감사합니다.

사랑해요.

우리 다부는
착한 다부다.
왜냐면
다부가 착하다고 소문나서
언니 가고
나도 가고 하잖아.
쉬는 시간도 많고
친구들도 착하잖아.

도미노를 잘하려면
넘어지지 않도록
조심 조심 세워야
해

도레미 파 솔 라 시 도

도미노를 더 길게 더 세워서
이렇게 넘어트려요.
친구가 세운 거는 넘어트리지
않았으면 좋겠어.
내꺼 세운 것도 넘어트리지 않아요.
내가 도미노 넘어지면서 지나가면
박수를 치는 거야.
그러면 기분이 좋아.
그래서 친구들이 박수치면 좋아.

윤성빈

속상한 것을 잘 표현
하려면행감바
를하면되

행 은:행동말하기
감 은:감성말 하기
바 은: 바라는점하기

다음부
터 아 그래쓰
면르겠 어

속상해

너가케쿠
니까.

알겠어
미가내

안녕, 나는 이제 3학년이야.

속상한 것을 잘 표현하려면

행감바를 하면 돼.

그런데 너는 아직 안 배웠지?

내가 알려줄게.

먼저 **행**은 **행**동 말하기

감은 **감**정 말하기

바는 **바**라는 점을 말하면 돼.

신수정

잠 잘 자는 방법

2학년 이준민

잠을 빨리 자려면

눈을 감고 가만히 있어. 아무생각도 하지말고 그냥 누워있으면돼

한편

잠이 안와!

이 방법대로 하니까 잠이 잘 와

눈을 감고 가만히 있어.
아무 생각도 하지 말고
그냥 누워 있으면 돼.
밤에 깨면 물을 마시고
바로 누워.

이준민

양보 잘하는 방법

양보는 참아야 해.
다른 사람은 장난감 가지고 노는데
다른 친구도 놀고 싶다면
싸우는게 아니라 양보해 줘야 해
양보 안하고 싶을 때에는
"싫어! 나 더 놀고 싶어!"
라고 이야기해.
그러면 "응, 알겠어!" 라고 할거야.
1학년 안녕! 사랑해~

조안나

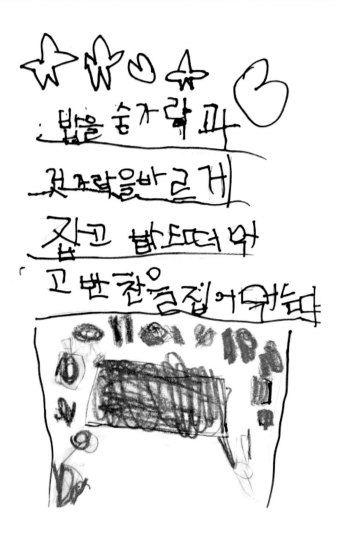

밥은
숟가락과 젓가락을 바르게 잡고
숟가락으로 밥도 떠 먹고
그리고 국도 떠 먹는다.
젓가락은 반찬을 집어 먹는다.
골고루 먹자. 끝!

김성민

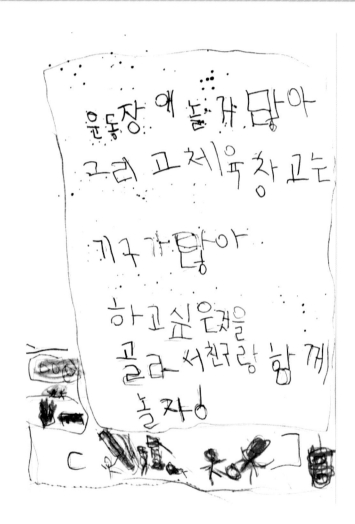

운동장에 놀거 많아.
축구는 잘 차야 돼.
그리고 체육 창고는 기구가 많아.
하고 싶은 기구를 골라서
친구랑 함께 놀자.

김성민

차근 차근
잘보 면서

넣어 야해.

파일이 ㅂㅇㅇ반 ㅇㅃ ㅇㅇㅇ 앨. ㅇㅇㅇ

꾸겨 지지 않게

귀찮다고
파일에 마구마구 넣지 말고
차근차근 잘 보면서 넣기.
종이를 넣고
아무데나 놔두지 말고
파일 꽂이에 넣기.
작은 종이는 큰 종이 앞에
넣어도 괜찮아요.

정지민

예쁘게 말하는 방법

2학년 정지민

＜예쁘게＞ 말하는 방법은
잠깐 멈추고 내가 이렇게 말해도 되는지
생각해 보고 예쁜 말투로 상냥하게
말 해야해.

잠깐 멈추고 내가 이렇게 말 해

도 되는지 생각해 보고 예쁜

말투로 상냥하게 말해야해.

고마워

상냥

하게

상냥해

상대방과 이야기를 할 때
어이없거나 황당할 때
잠깐 멈추고
내가 이렇게 말해도 되는지
생각해 보고
생각을 다했을 때는
예쁜 말투로 상냥하게 말하기

정지민

그림 박시온

처음에는 잘 표현을 잘 못할 거야.
하지만 용기를 내야 해. 그것을 알려줄게!
행감바, 인사약이라는 것이 있어.
행은 행동 말하기, 감은 감정 말하기,
바는 바라는 점 말하기.
인은 인정하기, 사는 사과하기,
약은 약속하기를 하면 돼.

박시온

안녕? 나는 권나연이(누나, 언니)야.
속상한 마음 잘 표현하는 방법은
속상하게 만든 친구한테 나 속상해.
사과해 줄래? 라고 말하면
사과해 줄거야.

권나연

교과서는 미리미리 사물함에 넣어

야해 그리고 책상서랍 안에 필요

없는 물건은 집에 가져가거나

쓰레기는 쓰레기통에 버려.

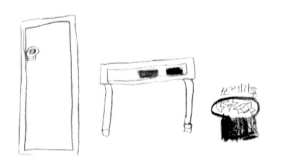

그림 정지민

일단 수업을 다하고 교과서는 미리미리
사물함에 넣기 그리고 사물함 앞에나
책상 서랍 안에 필요 없는 물건이나 쓰레기,
물건은 집에 가져가고
쓰레기는 쓰레기통에 넣기

정지민

서랍 안이 지저분하면 일단 서랍 안에 있는
물건을 모두 꺼내서 종이는
L자 파일에 넣고
교과서는 바르게 정리하거나
사물함에 넣으면 돼.
쓰레기는 모아 두었다가 마지막에
모두 버리면 편해. 그럼 이만~

장채원

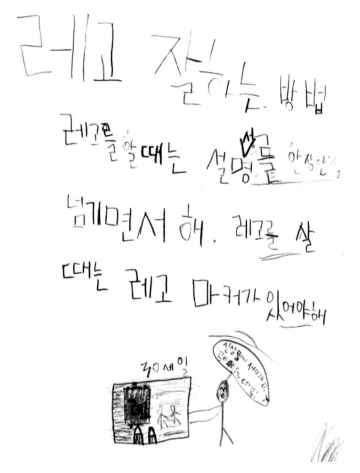

레고 잘하는 방법

레고를 할 때는 설명을 한장한장 넘기면서 해. 레고를 살 때는 레고 마커가 있어야해

그림 이준민

레고를 살 때는 신중해야 해.
나중에 후회하게 될 수도 있어.
레고를 할 때는 설명서를
한 장 한 장 넘기면서 해.
레고를 살 때는 레고 마크가 있어야 해.
없으면 가짜야.
덴마트에서 정식으로 찍은게 아니거든.

이준민

난 정승효야. 레고를 잘 하려면 생각,
즉 너 자신을 알아야 해.
내가 뭘 좋아하는지,
뭘 만들고 싶은지,
먼저 알아야 해.

정승효

처음에는 잘 "같이 놀자!" 라고
말을 잘 표현하지 못할 거야.
하지만 실천이 필요해.
네가 노력하고 1번,
1번 연습해야 해.
그리고 노력해야 해.
그럼 안녕.

박시온

노래 잘 부르는 방법

2학년 권나연

노래를 잘 부르려면
가사부터 외워야 돼.
막 외워지면 부르면 돼.
간단하지?
근데 노래 가사를 못 외우면
나한테 와~

권나연

두레에서 자기소개 하는 방법

2학년 송채빈

두레 활동할때니 자기 소개

를 잘하려면 천천히 또박또박

잘 말해야되!

첫 번째로는 말을 너무 많이 더듬으면
안돼! 왜냐하면 부끄럽게 때문이야.
두 번째로는 천천히 또박또박
잘 말해야 돼.
왜냐하면 너무 빠르게 말하면
무슨 말인지 모르기 때문이야.
세 번째로는 이렇게 말해야해.
"안녕하세요! 0학년 00입니다." 라고
말해야 돼.
마지막으로 집에서 연습하면 더 쉬워.
어때 쉽지 안녕!

송채빈

그림 송채빈

첫 번째로는 물 안에 손을 넣으면 안 돼.

두 번째로는 친구를 돌 위에서 밀면 안 돼.

왜냐하면 다칠 수도 있고

물에 빠질 수도 있어.

세 번째로는 뛰어 다니면 안 돼.

네 번째로는 겨울에 얼음 위에 올라가면

안 돼. 절대로 안 돼. 꼭! 지켜줘~

송채빈

겨울에 연못이 얼었으면 올라가면 안돼.

왜냐하면 갑자기 깨질 수도 있어.

그래서 위험해. 그래서 조심해야 해.

그리고 연못에 개구리가 있을 때

잡으면 안 돼.

그러면 개구리가 죽을 수 있어.

정지민

소중한 날 보내는 방법

2학년 강 산

소중한 날은
그 달 생일 친구를 위해
춤이나 노래 같은 걸
해주는 날이야.
그리고 소중한 날에는
뭔가 특별한 걸 하니깐 참고해.

강 산

다퀴즈 잘하는 방법

2학년 강 산

〈다퀴즈 잘하는 방법〉

일단 자기가 좋아

하는*분야를 선택하고 참

가해

분야: 자기가 좋아하

는 것가 좋아하

다퀴즈

일단 전공 분야를 선택하고
참가해.
그리고 다퀴즈 승낙하고
다퀴즈를 맞추면 선물을 줘.
그러니깐 꼭 참고해.

강 산

그림 잘 그리는 방법

2학년 장채원

그림그릴때는
세게그리면
지워도 자국이
남아있어서
살살 연하게
그려야해.

그림을 잘 그릴려면
연필을 바르게 잡아야 해.
그리고 세게 그리면 지워도
자국이 남아 있어서
살살 연하게 그려야 해.

장채원

구구단을

잘외 우려면 구구단
노래 를 부르면 쉬워

3×5 =15

구구단을 잘 외우려면
구구단 노래를 부르면 쉬워.

윤성빈

구구단을 잘하려면 답을
생각하지 말고 식을 생각해 봐.
만약에 2×4면
2가 2+2+2+2=8 이야.
이렇게 생각하면
쉽게 계산할 수 있어.
박상현

공부 시간은 모두의 시간이야.

조용히 하려면 노력이 필요해.

처음에는 떠들거야.

그런데

친구에게 피해주는 걸 알아야 해.

힘을 길러야 해!

박시온

수업시간에 화장실
려면 먼저 손을들거나
선생님한테가서 화
장실다녀오갰다고
하면돼

안녕,
수업 시간에 화장실 가는 방법을
알려줄게.
먼저 손을 들거나
선생님한테 가서
화장실 다녀오겠다고 하면 돼.
어때 쉽지.
그리고 손 씻는거 잊지마.

신수정

글을 잘 쓰는 방법

2학년 신수정

글 잘 쓰는 방법은
머리에 생각했던
것을 그대로 쓰면돼

내가 글 잘 쓰는 방법을
알려줄게.
먼저 머리에 생각했던 것을
그대로 쓰면 돼.
생각이 안나면
주말에 했던 일을 생각해 봐.

신수정

곤충 잘 잡는 방법

2학년 박상현, 정승효

곤충을 잘 잡고 싶으면
밤에 숲속 에서 잡아 봐.

그림 박상현

곤충을 잘 잡고 싶으면 밤에 숲속에서
잡아봐. 사슴벌레와 장수풍뎅이를
잡고 싶으면 사슴벌레와 장수풍뎅이가
좋아하는 나무를 찾아.
밤에 떡갈나무, 참나무에서 찾아봐.
핀셋도 챙겨.
그리고 순발력이 빨라야 돼.

박상현

곤충을 잘 잡으려면
우선 순발력을 갖추고 있어야 해.

정승효

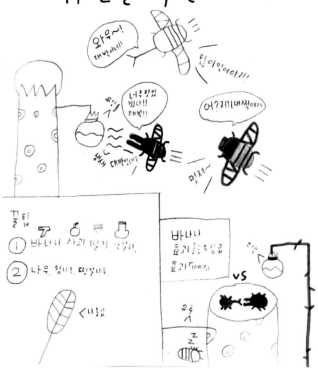

곤충을 잘 잡을 방법

2학년 조은솔

곤충을 잘 잡는 방법을 알려 줄게

포충망을 휘눌러 서 잡기
채·바팅망으로 나무에있는곤충을 잡게

손으로 잡기힘든곤충은흡충관으로잡기

장수풍뎅이, 사슴벌레를 잘 잡으려면 유인물이 필요해. 유인물을 만드는 방법은 헌 스타킹 또는 양파망에 바나나를 넣고 으깨준 뒤에 소주를 약간 뿌려주면 완성이야. 냄새가 잘 퍼지는 곳에 놔두면 사슴벌레, 장수풍뎅이가 더 잘 유인돼.

그리고 여름 아침에 무작정 참나무 숲에 들어가면 모기 공격에 엄청 힘들어. 그리고 사슴벌레, 장수풍뎅이가 많은 곳은 물이 흐르고 참나무 수액이 있는 곳에 있어.

더 잘 잡으려면 아침에 참나무 숲에 들어가서 수액이 있는 곳을 미리 체크해

두고 밤에 들어가서 체크해 둔 곳을 보면 사슴벌레, 장수풍뎅이가 있을 거야.

유충을 잡으려면 손도끼, 장갑, 채집통이 필요해. 만약에 장수풍뎅이 유충을 채집했다면 암수구별은 어떻게 하냐면 유충 밑에 난소라는게 있는데 암컷은 브이자가 없고, 수컷은 브이자가 있어. 사슴벌레 암컷은 브이자가 있고, 수컷은 브이자가 없어. 그리고 준비물은 손전등, 손도끼, 그물망, 채집통이 필요해. 그리고 내 이름은 김산 3학년이야. 끝!

김산

스쿨버스는 조용히 해야 해.

왜냐하면 시끄러워.

그래서 조용히 하란 말을

많이 들을 수도 있어.

남한테 피해가 될 수 있어.

조용히 하려면

그냥 입 다물고

뭘할까 생각하면 돼.

정승효

학교버스 규칙 지키는 방법

2학년 조은솔

1. 조용히 하기.

2. 선생님 허락없이 휴대폰을 쓰지않기.

3. 개인물건 가져오지않기

4. 의자뒤로 젖히지 않기

5. 의자발로 차지않기

안녕? 내가 버스 규칙을 알려줄게.

1. 조용히 하기
2. 선생님 허락 없이 휴대폰을 쓰지 않기
3. 개인 물건 가져오지 않기(책 말고)
4. 얘기할 때 옆사람과 소곤소곤 얘기하기
5. 의자 뒤로 젖히지 않기
6. 의자 발로 차지 않기
7. 도우미 선생님 부를 때
   선생님이라고 부르기

잘 지켜줘!

조은솔

모두와 사이좋게 지내는 방법
2학년 박시온, 장채원, 정승효, 권나연

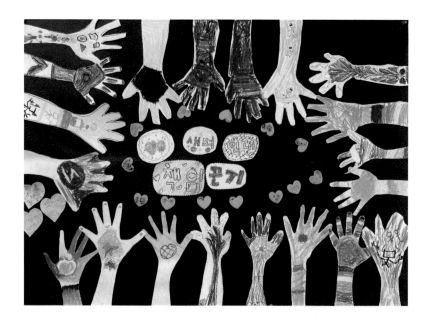

친구의 의견을 1명씩 모두의 의견을
듣고 모두가 동의하면 놀이를 하고
1명을 떼고 하면 안 돼.

박시온

먼저 모두와 인사하고
속상한 친구가 있으면
~~아 괜찮아? 물어봐야 친해져.
그리고 친구의 말을 잘 들어주고
남자, 여자 나누지 말고
다 같이 놀아야 해.

장채원

즐겁게 지내려면
친구와 싸우지 않고
친구가 싫어하는 걸 하면 안돼.
그럼 안녕.

정승효

친구랑 사이좋게 지내는 방법은
먼저 말 걸고 친구와 배려하면서
존중하고 수준을 맞추어 놀면 돼.

권나연

계단 사용 잘하는 방법

2학년 송채빈

첫 번째로는 계단 손잡이를 잡아
두 번째로는 천천히 내려가
세 번째로는 장난치면서
내려가면 안돼.
왜냐하면 다칠 수 있어서 안돼.
어때?
이걸 계속 실천할 수 있으면
실천해 줘.
안녕!!

닭장 사용 잘하는 법

2학년 송채빈

첫 번째 도구를 챙겨

두 번째 닭장에 들어가

세 번째 닭똥을 밟지 않게

조심해.

네 번째 돌, 닭똥, 깃털 등을

치워.

다섯 번째 손 씻는거 잊지마!

물건 잘 가져오는 방법

2학년 조은솔

1. 물건 잘 챙겼는지 확인하기
2. 깜빡하고 안 가져오면
   다시 와서 갖고 가기
3. 꼼꼼히 보기
4. 깜빡하고 안 가져 왔는지
   꼼꼼히 보기

치어리더 잘하는 방법

2학년 조안나

치어리더를 하면
운동 되고
스트레칭도 풀려서
그리고 치어리더를 하면 재밌어.
그럼 안녕!

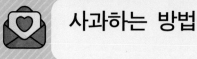

사과하는 방법

2학년 신수정

사과하는 방법을 알려줄게.

인사약인데,

인은 **인**정하기

사는 **사**과하기

약은 **약**속하기야.

급식시간에 조용히 하는 방법

2학년 박시온

밥 먹을 때는
조용히 해야 해.
왜냐하면 체할 수도 있고,
너무 시끄러워.
그래서 조용히 해야 해.

스쿨 버스 타는 방법

2학년 김성민

탈 때는
"안녕하세요!" 하면 되고
그리고 버스에서는
시끄럽게 하면
"조용해!" 라고 말해야 해.
그리고 멈출 때 기다려야 해.
학교 도착까지 기다려야 돼.

도서관 이용하는 방법

2학년 강산

일단 기본 예절부터 설명할게.
일단 도서관에 들어가면
조용히 하고 싸우지 않아야 돼.
그럼 시끄러워 지거든?
그리고 조용히 읽어. 약속~

2학년 학부모가
1학년 학부모에게

1학년 다부살이를 되돌아 보며
2학년 김성민 엄마 (정은해)

처음 다부초를 알게 되었을 때는 직장 동료 선생님의 권유로 알게 되었다.

성민이가 느린 친구라 이런 저런 고민이 되었는데 다부초에 입학이 되어 기쁜 마음 반, 걱정 반.

아이가 학교를 재미있어 하고, 잘 다니고 있어서 마음은 놓였다. 학교를 다니면서 이런 저런 우여곡절도 많았고, 전학가는 마음 아픈 일이 있었고, 성민이가 힘들어 하는 부분도 많았고, 사실은 흔들리는 마음이 있었지만 끝까지 다녀보자는 생각으로 학교를 계속 다니고 있다. 주말 부부, 워킹맘에 학교 모임이 부담스러운건 사실이지만 서로 도움을 주며 살아가는 다부살이에 감사함을 느끼고 있고, 성민이도 느리지만 천천히 자라고 있으니 한편으로 다행이라고 생각한다.

1학년 생활이 다 끝나가고 있지만 한편으로 아

쉬움도 남아있고, 2학년 때는 아이가 좀 더 성숙해지겠지.

또 다시 걱정 반 설렘 반 이런 오묘한 감정이 들기도 한다.

앞으로 남은 5년 동안은 성민이가 어떻게 자라날지, 성민이가 몸과 마음이 커다란 아이로 자라나길 바랄 뿐이다.

2학년이 1학년에게

2학년 박시온 아빠 (박선수)

너그 모르고 다부 보냈나

뭐 그리 깨까리스럽게 구노

삶이 다 글타

울 거 뭐 있노

그기 바로 1학년인기라

시온이 엄마에게 내가 자주 하는 말이다.

1학년 아빠가 처음인지라

어떻게 하는 게 좋은 아빠인지

생각을 많이 했다.

시온이는 다부를 다니며 행복해하고,

점점 사람이 되어가는 것 같다.

시온이 덕분에
나도 같이 철이 들고
사람이 되어가는 것 같다.

시온이가 행복해하는 다부.
잘 다니고 예쁘게 크길 바란다.

1. 관계, 인정, 존중 *('당신과 나 사이'에서 발췌)*

멀찍이 떨어져서 숲을 바라보면 숲에 나무가 빽빽이 가득 차 있는 것처럼 보인다. 그렇지만 가까이 다가서서 보면 신기하게도 나무들이 서로 적당한 간격을 유지하고 있다. 나무들은 서로서로 일정한 거리를 유지한 채 자라고 있다. 각자 올곧이 자라기 위해서는 나무와 나무 사이에 거리가 필요하듯 사람과 사람 사이에도 거리가 필요하다. 여기에서 말하는 '거리'는 상대방과 나 사이에 '존중'을 넣는 것이다. 이때 존중은 상대방이 나와 다르다는 사실을 있는 그대로 인정하는 것을 뜻한다. 그가 나와 다르다고 해서

그를 비난하거나 비판하지 않고 그의 선택과 결정을 존중하는 것이다.

2. 말 *('말그릇'에서 발췌)*

　말을 하기 전에 가장 먼저 다듬고 이해해야 할 사람은 바로 자기 자신이다. 말과 사람에 대한 태도를 정비하는 작업은 자기성찰과 자기 수용에서 시작되어야 한다. 사람들과 연결되려면 일단 나 자신과 연결되어 있어야 하고, 먼저 자신의 내면과 이야기를 나눠야 한다. 나에 대한 다양한 증거들을 이해하고 숨기지 않고 받아들이는 과정을 거쳐야 한다. 그때야말로 안정된 말이 나온다.

　자신을 있는 그대로 받아들일 준비가 되지 않은 사람들은 말을 두루뭉술하게 한다. 마음과 대면할 용기가 없기 때문이다. 감정 다루기를 어려워하고, 타인의 감정에 대해 필요 이상으로 민감하기 때문에 애매하게 말하고, 돌려 말한다. 특정한 감정을 억누르거나 과도하게 부풀리기 때문에 한쪽으로 치

우친 관점을 가지기 쉽다.

자신을 껴안지 못한 상태에서 이루어지는 상호 작용은 지속되기 어렵다. 자신만으로 충분치 않기 때문에 서로에게 지나친 기대를 하고 또 실망하기를 반복한다. 자신을 알고, 이해하고, 용서하고, 화해하며, 격려하는 연습이 안된 사람이 다른 사람에 대한 너그러운 마음을 가지기란 어렵다.

3. 바람

필요한 말을 제때 용기 내 할 수 있기를

책임질 수 있는 말을 할 수 있기를

실수했을 때 제때 사과의 말을 할 수 있기를

도움이 필요한 누군가의 손을 꼭 잡고 지켜주는 말을 할 수 있기를

귀 기울여 듣고 질문하며 길을 열어 갈 수 있기를

2학년이 1학년에게

2학년 강산 아빠 (강성준)

아이들이 싸웠다

누가 때리고 누가 맞고

맞은 아이도 때린 아이도 안타깝다

처음이란 변명으로

우리가 방치한 아이들이

몸에도 맘에도 상처를 입어

서로 헤어지게 만들었다

처음이란 핑계를 이유 삼는 동안

우리 아이들의 상처는 깊어만 졌다

우리 때라는 비겁한 핑계의 무덤 속에

우리 아이들은 친구를 잃었다

부모가 처음이라는 핑계로

삶, 그 끝에도 반드시 지켜야 하는

내 아이들을 방치하면 안 되듯
학부모가 처음이라는 이유는 하찮다

어른들이 잘 했으면
어른들이 '남의 아이라 내가 뭘'이란
생각을 하지 않았다면
우리 아이들의 상처가 조금은 얕지 않았을까

처음으로
그래 다시 처음으로 간다면
내 아이든 다른 아이든
함께 감싸고 함께 혼내야겠다

함께 감싸는 건 쉽다
좋아 보이니까

그 이기심을 이기지 못했다
혼낼 수 있는 용기가
잘 혼내려는 자격을 갖추기 위한
준비가 되어있긴 한가

나의 준비는 어느 정도인가
아이가 상처받지 않게 혼내는 법을
고민하지 않는 내가
어른의 자격이 있었을까

지난 자리의 아픈 반성이
남은 5년에 기회와 과정이 되어야겠다
처음이란 핑계는
처음부터 패배하겠다는 것이다
최소한 부모란 이름에겐

소망

2학년 강산 엄마 (조수민)

한 겨울, 제 가진 걸 다 떨어내고 안으로 생의 에너지를 끌어 모으는 나무처럼 저도 지난 1년의 흔적 중 제 삶의 본질과 맞닿은 것만을 남겨 충분히 들여다보고 싶은 마음으로 펜을 듭니다. 그 중에 다부살이를 여기에서 돌아보려 해요.

아이들도, 부모님들도 학교생활에 적응해 보겠다고 무던히도 애썼던 1년입니다. 이렇게 자주 봐야 하나? 이런 걸 꼭 해야 하나? 물음표와 부담감이 커지는 나날이었습니다. 다부에서 만큼은 학부모가 '교육의 3주체'인 것이 맞구나! 온 몸으로 느꼈지요. 뭐가 뭔지 잘 모르겠는데 참석하고, 어색한데 어떻게든 함께 어울렸습니다. 친해지려고, 소통하려고 많이 노력했지요.

그 동안 많은 일들이 있었고 이제 12월의 끝자락에 와 있습니다. 어제 자연스레 모인 다부 친구의 집에서 엄마들은 따뜻하게 마음을 나누고, 아이들은 즐거워 방방거리는 모습을 보며 행복했습니다. 맞춰가야 할 게 많겠지만 가슴 열고 서로의 얘기에 귀기울여주는 엄마들이 있고, 함께라 신나하는 아이들이 있으니 더 노력할 마음이 생기더라구요.

여전히 잘 모르겠지만, 짧은 경험으로 그래도 다부살이에서 중요한 부분이라 생각하는 바를 전해드릴게요. 제 의견이니 가볍게 들어주세요.

학교행사, 반모임, 가족여행 등 참석할 곳이 많아요. 시간도 에너지도 많이 필요하지요. 순간순간 참 피곤하다 싶은데 돌이켜보면 그 시간들이 저에게 더불어 살아가는 의미를 조금씩 깨닫게 해주었어요. 학교행사와 가족여행은 특히 아이들이 넘나좋아합니다. 그러니 저도 더 신나게 동참해야겠다

마음먹게 됩니다. 이렇게 부모들이 함께 해 나갈 일들이 많으니 개인의 선택도 존중해 주어야겠지요. 각자 생각과 가치관이 다르니 서로 권하거나 제안할 순 있어도 강요하지 않아야 합니다. 다수의 부모가 그렇게 한다 해도 나와는 맞지 않을 수 있고, 억지로 따라가다간 학교든 관계든 다 부담스러워질 수도 있겠지요. 부모들 각자 독립된 주체로서 자신의 의견을 분명하게 제시하고 자유의지로 다부살이를 하는 것! 건강한 공동체의 기본이라고 생각합니다.

아이가 행복하면 어른도 행복하고, 어른이 행복하면 아이도 행복하다. 참말 그런 것 같아요. 서로 좀 더 이해하려고 마음 내고 나도 상대방도 함께 존중받는다는 느낌이 들도록 관계를 맺고 싶은데 저부터 잘 안되네요. 어쨌든 계속 그렇게 하려고 깨어 있고 하나라도 더 실천하려고 노력해야겠어요.

지난 여름과 가을 사이, 우리는 다부 친구 셋을 떠나보냈습니다. 아이들의 다툼은 계속 되고, 부모 사이 감정의 골은 회복할 길 없이 깊어졌기 때문이지요. 그 상처를 딛고 남은 아이들은 선생님과 마음밭 생활글도 쓰고, 칭찬도 주고받고, 마음 나누기를 하며 서로를 이해하고 배려하려는 노력을 하고 있습니다. 갈등이 생기는 건 자연스러우나 어떻게 현명하게 풀어나갈지 아이들과 부모님, 선생님이 적극적으로 소통하고 방법을 찾아 마음을 다해 실천해 나가야겠지요. 그런 과정을 거쳐서 서로 신뢰를 쌓아가고 아이들도 어른들도 함께 성장해 나가기를, 진심 행복하기를 소망합니다.

우리들은 다부 1학년
2학년 신수정 엄마 (강정수)

　오후 다섯 시, 학원을 마친 수정이와 퇴근한 내가 만나는 시각, 3월 중순부터 멋도 모르고 흔쾌히 시작된 학원생활, 이젠 당연한 일상이 되었다. 만나면서부터 시작되는 아이의 수다 속엔 학교생활에서 있었던, 아이가 기억하는 오만가지의 일들과 감정들이 있다. 오늘 학교 방송에 우리 반 친구들이 출연하여 노래를 했는데 운동장까지 울려 퍼졌고 너무 신이 났다, 어떤 날은 전체 학년이 모여서 회의를 했고, 내일은 마트를 여는데, 난 도장이 두 개밖에 안 되어서 200원만 쓸 수 있고, 반에서 함께 놀 친구가 없어서 재미가 없어서 학교 탐방을 떠났다가 연못가에서 한 언니를 만나서 언니와 어떤 이야기를 나누었는데, 언니도 어떤 경험이 있었다는 등등 학교 이야기를 한참 풀어 놓고 난 뒤에야 다음으로 넘어간다. 다음은 학교에서 배운 노래와 놀이를 혼자서 되새김하는 시간이다. 뭐가 그리 재미있는지, 혼자서 만들고, 종이 접고, 노래하고 역할놀이도 한다. 잠도 푹 잤고, 잠꼬대도 즐거운 꿈같다. 내가 보기엔 분명 아이는 학교생활을 좋아하고 있었고, 학교의 많은 것들을 좋아하고 있었다. 아이의 이야기만 들을 때까지는 말이다.

　1학기 상담주간, 담임 선생님을 만나서 듣게 된 말은 수정이가 여러 면에서 소극적이고, 목소리를 내지 않고 있다는 것이었다. 그러고 보니 내가 몇몇 남자 어린이들과 함께 어울려 보니 수정이가 말을 잘하지 않는다는 것을 듣게 됐다. 실제로 관찰해 보니, 먼발치에서 어떻게 노는지 구경하거나, 거리를 두고 있는 것이 보였다. 그러고 보니, 1학기 언제부터인가 아이의 미간에 가로 주름이 두 세줄 보이더니, 엄마 마음에 점점 아이의 그 주름이 깊어가는 것처럼 보였다. 걱정과 염려가 시작되었다.

11월, 담임 선생님께서 올 한해 지낸 소감을 내년 1학년 부모님들과 나누는 이야기로 책을 만들고 싶다고 하셨을 때엔 정말 좋은 생각이라고 생각했다. 하지만, 막상 닥쳐보니, 어떻게 글을 시작해야 할지 제출 기한이 지나도록 시작도 못하고 있었다. 그런데, 어느 날 여느 때처럼 하교하고 수정이가 흥얼흥얼 노래를 부르는데, 그 가사가 내 마음을 쑤욱 끌어당겼다.

"수정아, 다시 불러봐. 함께여서 고맙고, 그 다음엔 뭐라고?"

"이해해 줘서 고마워 라고?"

담소네 공방의 '친구'라는 노래에는 아이들의 학교생활이 들어 있다. 그동안 집에 와서 수정이가 흥얼거리며 불러주던 노래들도 참 좋았는데, 이 노래를 학기말에 들으니, 어쩐지 마음이 짠하고 뭉클함이 느껴지는 것이 1년간 함께 겪었던 적지 않았던 일들이 떠올랐다. 서로가 참 많이 다름을 느끼고 알게 되었고, 아이들도 선생님도 부모들도 함께 회의하며 좋아하는 것을 찾고 해보려고 노력하고, 그래도 우리 열심히 지냈구나! 아, 이제 6년 중 1년을 함께 했구나!

입학하기 전, 학교 설명회에서 들은 이야기 중 다부초등학교에 아이를 보냈더니, 가족이 함께 다부생활을 하면서 우리 가족 모두에게 다부가 들어왔다는 아주 인상 깊은 이야기처럼, 수정이가 학교에서 함께 불렀던 노래가 우리 집에 들어왔다. 덕분에 이해를 넓히고, 방향을 찾고, 추억을 소환하며 겨울밤이 깊어간다. 안녕 우리들의 2022 다부 1학년!! 함께 해준 여러분, 고맙습니다.

친 구

담소네 공방

함께여서 고맙고
이해해 줘서 고마워
우리 같이한 시간
참 많은 일이 있었지

돌아보면 우리는
비슷한 것 하나 없지만
이렇게 노래할 때
세상을 다 가진 듯해

수많은 길이 있고
다른 하루를 살지만
철부지처럼
좋아하는 것을 해보자

때로는 흔들리고
우울할 때도 있지만
서로 의지하며
오늘도 행복하자

힘든 하루 끝에서
투정만 부리다가도
너의 눈을 볼 때면
뭔가 사라지는 것 같아

오랜만에 만나서
아무 말 하지 않아도
친구라는 이름은
나를 가득하게 만들어

수많은 길이 있고
다른 하루를 살지만
철부지처럼
좋아하는 것을 해보자

때로는 흔들리고
우울할 때도 있지만
서로 의지하며
오늘도 행복하자

화분에 설레는 맘으로 꽃씨를 심는다.

그저 예쁘게 새싹이 나기를 기다리면

되는데 언제 올라올까? 조급해진다.

그때는 몰랐다.

흙을 뚫고 올라오는 그 몸부림을...

드디어 싹이 올라왔다. 기쁨도 잠심...

다른 화분에 눈길이 더 간다.

넌 왜 이렇게 삐딱하니?

내가 바라는 모양과 색깔이 아니잖아!

여름 장마가 괴롭다.

남들이 예쁘게 키운 꽃도 많은데

난 왜 꽃씨를 심었을까?

후회가 밀려온다.
내 맘을 아는지 모르는지
새싹은 힘겨운 떨림으로
세상을 향해 줄기를 내뻗는다.

가을 햇볕은 따갑다.
너도 나도 경쟁하듯
새싹들은 존재를 드러낸다.
내 화분은 여전히 볼쌍스럽다.
곧 겨울이 올텐데... 마음이 쓰인다.

어김없이 찬바람이 볼을 스친다.
사람들이 화분을 보러온다.
슬쩍 옆으로 치워본다.

"와~ 이것 좀 봐! 특이하고 예쁘다."

질끈 감았던 눈이 서서히 뜨이면서

단풍이 올라오듯 입가에 미소가 올라온다.

그제야 꽃이 제대로 보이기 시작한다.

만감이 교차한다.

·

·

·

그동안 많이 힘들었지?

미안하다 새싹아~

고맙다 산아~

다부살이 1년

2학년 김산 아빠 (김응일)

　다부초 1학년 학부모가 된 새학기 개학식날 아들과 함께 짬뽕을 먹던 때가 벌써 10달이 지났다.

　그간 학교에 많은 행사와 모임으로 한 해가 어찌 지났는지도 모를 만큼 빠른 시간이었다.

　다부초에 대한 어떠한 사전정보도 없었지만 1년간의 다부생활과 학교행사들을 체험하면서 마냥 신기하고 새롭기만 했다.

　게다가 학교운영위원까지 맡게 되면서 학교의 1년간 일정들이 어떻게 운영 되어지는 지도 많이 배운 것 같다.

　내가 한 일이라곤 거의 잡일(?)정도의 수준이었지만 그 역시도 시간을 내어 감당할 수 있다는 것에 감사할 따름이다.

　지난 1년을 되돌아 보면 아이를 다부에 참 잘 보냈다는 생각이 든다. 자연과 함께 형식에 얽매이

지 않고 우리 아이들 스스로 문제를 해결해 나간다는 다부의 교육철학이 참 좋다.

앞으로 5년이 더 지나서 우리 아이들이 졸업을 할 때는 어떤 마음으로 웃으며 떠날지 기대가 된다. 선배 학년 학부모님들이 입버릇처럼 말씀하시는 '다부스러움'은 무언지 솔직히 아직은 잘 모르겠다.

졸업을 할때면 알게 되려나?

앞으로의 다부생활이 더 더 기대되는 겨울방학이다.

미래의 1학년 엄마에게
2학년 박상현 엄마 (김정림)

글로 누군가에게 나의 마음을 표현한다는 건 참 어려운 일인거 같다. 입학한 날 아이 손을 잡고 교문 앞에 들어서는 순간 그 기분은 엄마인 나도 같이 입학한 것 같았다.

처음이라는 단어는 설레고 두렵다.

아이가 학교생활을 잘할 수 있을까? 20분이나 되는 먼길을 등교할 수 있을까? 그런 나만의 생각과 수많은 고민이 들었다. 미래의 1학년 엄마들에게 여러 가지 도움이 될 나만의 생각을 정리해 본다.

1. 나도 같이 8살이 되어 입학하라

가까운 집앞 학교를 선택하지 않고 다부를 선택한 것부터 나는 특별한(별난) 사람이라는 것을 먼저 인정하자.

2. 공동체이지만 모든 것을 함께 할 수 없다는 것을 인정하자

얼굴이 다르듯 삶의 모습들도 다르기에 모든 것을 다함께 한다는 나만의 욕심을 내려놓자.

3. 아이들을 부모인 나보다 적응이 빠르다

난 아직도 적응 중이다. 2학년이 되고 앞으로 6학년까지도 적응 중일 것이다. 그리고 끊임없이 나도 성장할 것이라 믿는다.

4. 어떠한 어려운 일이든 쉬운 일이든 다양한 상황 속에서 내 마음을 표현해야 한다는 것을 잊지 말자

다부가

2학년 박상현 아빠 (박명수)

다부간들 어떠하리
아니간들 어떠하리

여기는 어떻고
저기는 이렇고

뭔들
행하지 않고 결과를 바라는가...

이루려고 하지 말고 겪고 참아야 하는 곳

1학년 대표의 시간은 느리게 간다.

2학년 장채원 엄마 (김현정)

다부는 기존 재학생이 있는 상태에서 동생이 입학하는 경우 재학생 부모 중에서 1학년 대표를 선정하는 경우가 많다는 이야기는 들어서 알고 있었는데, '설마 내가 학부모대표를 하겠어?' 라는 생각으로 첫째의 1학년을 보냈고, 둘째 입학을 위한 부모면담을 통해 내가 대표자리를 맡게 되었고, '내가 대표를 잘 할 수 있을까?'라는 불안으로 몇 달을 보내며 그렇게 둘째의 1학년 학부모대표가 되었다.

1년을 다부에서 보냈지만 코로나로 인해 여러 가지 행사가 생략 또는 간소화되었기에 아는 것보다 모르는 것이 더 많아서 이것저것 알아가기에 정신없는 시간을 보냈다. 공동체라는 것을 강조하는 다부지만 여기도 사람 사는 곳이기에 갈등이 존재했고, 그 갈등의 한가운데에 대표라는 자리가 있다는 사실을 그때서야 알게 되었다.

대표로서 진행하는 행사나 일은 잘못되면 책임을 지고, 실수를 하면 사죄를 하면 되는 일이었지만, 갈등의 가운데에서는 내가 할 수 있는 일이 없었다. 갈등 당사자들의 마음이 더 힘들다는 사실을 알기에 힘들다는 말조차 하지 못한 채 그 갈등 속에서 부유했다. 하루종일 전화를 붙들고 있는 상황은 영화 인터스텔라에서 밀러행성으로 간 쿠퍼일행과 로밀리의 시간차같이 느껴졌다. 나만 느린 시간 속에 갇혀있는 것 같았다. 지난하고도 지난한 시간이었다. 내가 해결해줄 수 없는 갈등이기에, 나보다 더 느린 시간을 버티고 있을 당사자들 생각에 마음이 아팠다.

그렇게 크고 작은 사건들을 건너 둘째는 이제 2학년이 되고, 지난번에 반모임에서 2학년 학부모 대표를 선정하고 뒷풀이를 다녀와서 남편에게 말했

다. "내가 이제 할 건 다 했어, 이제 다음 대표도 뽑고, 아주 기분이 홀가분해졌어."라고... 아직 3월 총회가 남았지만, 대표자리의 막바지에 이르고 나니 그동안의 시간들은 그 시간대로 의미가 있었지만 그 시간을 건너오는 동안 서로가 서로에게 마음을 내어주었던 사실이 더 큰 의미로 남아있는 것 같다. 무슨 말을 써야할지에 대해서 남편과 얘기를 나누던 중에 남편이 '글재주 없으면 어디서 가져오기라도 해야지'라고 하기에 SNS에서 봤었던 글이 생각나 퍼왔다.

누군가를 위로했던 것은
누군가를 일으켜 세울 수 있던 것은
시간이 아니라 마음이었다.

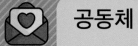

공동체

2학년 장채원 아빠 (장지훈)

글을 쓴다는 것은 늘 부담스러운 일이다. 형식에 구애받지 말고 자유롭게 쓰라는 말은 더 더욱 부담스러운 일이고. 뭘 써야 할까 하는 고민은 당연하게도 첫째가 1학년이 되었던 그 때로 되돌아가게 만들었다. 입학설명회며 예비소집 등 몇 번의 행사를 거치는 동안 많이 들었고 강조되었던 말은 '공동체'였다. 공동육아 어린이집에 아이들을 보내며 많은 시간을 공동체 속에서 보냈지만 여전히 공동체라는 것은 제대로 이해하기 어려웠고, 적어도 내가 아는 범위 내에서 역사 이래로 인류가 만들어 낸 완전한 공동체는 없었기에 인간이라는 존재가 멸망 이전에 완전한 '공동체'를 만들 수 있을까 하는 회의감마저 가지고 있었다. 그런 생각을 가지고 있기에 공동육아 어린이집에서도 지금 학교에서도 일선에서 궂은 일을 앞에 나서서 해주시는 학부모님들과 선생님들을 보며 인간으로서 존경심을 가지고 다부라는 공동체에서 작은 희망을 바라보며 1학년이었던 내가 1학년에게 남겨두고 싶은 이야기는 '공동체'에 대한 이야기일 수 밖에 없겠구나 싶었다.

올해 초(22년도)에 전 학년의 학부모들과 선생님들까지 함께 이야기를 나눌 수 있는 기회가 있었고, 나는 말주변이 없는 사람이라 책에 있는 내용 몇 가지를 준비했었고 그 자리에서 읽었던 글을 한 번 더 활용하는 것으로 글쓰기라는 이 위기상황을 벗어나려한다.

'이기주의가 오로지 자기 자신만을 생각하는 것이라면, 개인주의는 다른 사람들 역시 자신과 동등한 존재, 똑같은 욕구를 지니고 복합적인 감정을 느끼는 한 명의 인간이라는 사실을 인정하고 받아들인다. 그러한 까닭으로 개인주의자는 많은 이들의 오해와는 다르게 오히려 공동체를 소중히 여긴다. 공동체를 개인의 대립항으로 받아들이는 것이 아니라, 개인을 오롯이 개인인 상태로 머물게 하는 일종의 보호막으로 생각한다. 그렇기 때문에 공동체는 집단과는 다르며, 개인주의자는 연대의 중요성을 안다. 집단의 규칙이기에 억지로 따르는 것이 아니라 한 명의 개인으로서 다른 개인과 연대한다. 타인도 자신처럼 소중한 존재로 인식하고, 타인의 욕구와 감정 또한 자신의 것만큼 중요시 여긴다. 자신의 권리가 소중하기에 그만큼 타인의 권리도 존중한다.'

다정한 무관심, 함께 살기 위한 개인주의 연습, 한승혜

읽어보면 고리타분한 이야기일 수도 있겠지만

생각해 보면 역사적으로 늘 강조되어 왔던 정의, 사랑, 존중 등과 같은 가치를 지키는 일은 과거부터 현재까지 인간이 가장 못하는 것들 중에 하나다.

그런 가치를 지키려고 노력하고 방향성을 지키려는 모습이 우리 아이들에게 보여줄 수 있는 부모다운 모습이 아닐까 생각해 본다.

2학년이 1학년에게
2학년 정승효 아빠 (정찬형)

다부초등학교에 오신 것을 환영합니다.

1학년 입학할 때가 엊그제였던 것 같은데 벌써 1학년의 시간이 얼마 남지 않았네요.

처음 입학할 때는 걸어다닐 수 있는 집 가까운 학교를 두고 버스를 태우며 이런 먼 곳까지 아이를 보내야 하나 싶었습니다. 아이 엄마가 적극적이었기 때문에 다부에 보내기로 결정을 했어요.

다부에서 1학년을 지내보니 다부초는 아이들에게 더 많은 것을 느끼고 경험할 수 있는 아주 좋은 학교입니다. 학부모들 간에도 소통과 이해가 잘 된다면 또 다른 가족이 생기는 것 같습니다.

길게 글을 쓰는 것보다 다녀보시면 알게 됩니다. 하지만, 아이들의 사소한 다툼은 언제나 있을 수 있는데 이러한 일들이 부모들의 싸움이 되지 않도록 서로 간의 배려와 이해, 용서가 꼭 필요한 것 같습니다.

　1년을 보내면서 마음 깊숙이 가끔 찾아오는 한 가지 불안감은 과연 내 아이가 자율적인 다부에서 6년을 보낸 후 일반학교로의 적응을 잘할 수 있을까 입니다. 저에게는 다부를 보내며 계속 고민해 봐야하는 부분으로 남습니다. 중학교, 고등학교도 다부와 같은 학교가 생겼으면 하는 바람이구요.

　현재는 아이에게는 너무 좋은 다부초이기에 다부에 오신 것을 격하게 환영하며 좋은 관계를 맺었으면 합니다.

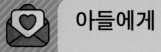

아들에게

2학년 이준민 엄마 (김지수)

아들아, 인생의 길은 수백 수천 가지의 길이 있단다. 우리가 가고자 하는 그곳이 같다면 오르막이든 내리막이든 곧게 뻗은 길이든 돌아 돌아 아주 먼 길로 가든 그 길은 언젠가 다시 만나게 될거야. 다른 길이 있을 뿐 세상에 틀린 길은 없단다.

좀 느리면 뭐 어때~

하늘도 보고 새소리도 듣고 비도 맞아보고 냇가에서 물장구도 치고 들판에서 뛰어도 보고...

좀 쉬었다 천천히 가면 뭐 어때~

보고 듣고 느끼고 하는 모든 경험들은 곧 너가 될텐데...

아들아, 기다릴게. 천천히 오렴.

다부초 1년을 보내며

2학년 이준민 아빠 (이은국)

1년 동안 참 많은 일들을 겪으면서 정신없이 지났던 거 같다. 반 회의며, 행사며, 그 과정의 대부분을 애 엄마한테 맡기고 나는 맨 처음의 적극적으로 이곳 다부에서 빠져보겠노라는 다짐과는 다르게 한발마저도 푹 담구지 못한 채로 1년을 보냈던 거 같다.

음... 우리 후배들에게 어떤 도움의 말을 전해볼까. 뭐 거창하게 계획하거나 다짐을 가질 필요도 없는 것 같다. 생각대로 흘러간다거나 계획대로 따라가지도 않는 변수가 너무 많은 다이나믹한 1학년 그 자체였다. 분명 힘들고 괴로운 고난의 시간은 있었으나 돌이켜 생각해 보면 그냥 있는 그대로 인정하고 바라봐 주고 기다리고 지내다 보니 1년의 끝자락 쯤엔 제자리를 찾아 오더라는 것이다. 물론 아이들 마다 그 시기가 제각각이긴 하지만 머지 않아 꼭 모두가 원하는 중심의 그 자리가 아니더라도 그 언저리까지는 와 있으리라 믿는다.

한가지 더 보태자면 내 마음을 내는 만큼 관계도 깊어지더라는 것이다. 좀 더 적극적으로 행사나 모임에 참여해서 같이 호흡하면 낯설기만 한 처음 1학년의 시간이 그리 길고 지루하게 더디 가지는 않을거 같다.

겨우 1년을 지내고 나서
2학년 조안나, 조은솔 엄마 (최정화)

늦은 밤 자려고 누워서 쌍둥이 딸과 아들이 주고받는 대화를 듣는다.

"우리 반은 13명이야! 난 악착같이 장난꾸러기 안 할 거야!"

아이의 말을 해석하는 건 부모의 몫이라는 생각이 든다. 내 아이의 말을 엄마 식(?) 대로 해석해 본다면 [아이는 아무 뜻이 없을 수 있지만 말이다.]

첫째, 16명으로 시작한 아이들 중 3명이 전학을 갔다.

둘째, 전학 간 친구는 아들의 눈에 장난꾸러기(?)였다.

셋째, 나의 아들은 다부가 좋다. 떠나고 싶지 않기에 장난꾸러기(?)는 악착같이 되지 않을 거라 다짐한다.

엄마인 나의 결론은 내 아이가 만족하고 좋다고 하니 나의 힘듦은 뒤로 해도 좋겠다는 마음이 들었다.

다부를 선택하면서 주위 사람들의 만류도 있었다. 힘든 길로 왜 가냐고 묻는 친구도 많았다. 어쩌면 이사까지 감행하면서 다부를 보낸다는 생각이 비이성적이라고 여길 수 있다. 초등학교는 집 가까운 곳이 최고라는 이야기도 많이 들었다. 이러한 결정도 아이를 위하는 부모의 선택이라고 우리 부부는 믿었다.

모든 선택은 양면의 동전 같다. 좋은 부분과 불편한 부분이 분명 존재한다. 어쩌면 지금 1학년 엄마가 나보다 더 경험치가 높은 둘째 엄마이거나, 벌써 다부를 보내고 있는 선배 엄마가 있다면 더 잘 알거라는 생각이 든다.

처음 입학하고 선배 부모들과의 만남에서 한 선배 엄마가 "다부를 떠나고 싶을 때"를 나누고 싶다고 자신의 어려웠던 점과 그 심정을 이야기 했었다. 그때 나는 모르는 사람 앞에 자신의 어려운 점을 이야기하는 그 용기는 분명 조금이라도 신입 부모들에게 도움이 되고자 하는 마음으로 받아 들였고 지금까지 오래 남을 만큼 고마웠던 기억이다.

오랜 경험치를 가진 선배들의 도움을 받았으니, 1년 겨우 다부를 지낸 부족하고 내공이 없는 엄마가 어떻게 신입 부모에게 내 마음을 전할지 막막하지만 도움이 된다면 용기 내 보려 한다.

내가 느끼는 다부는 사람 관계 중심적이라는 생각이 든다. 아이들도 친구들과 아주 밀접하게 지내고 부모 역시 그렇다. 그 속에 크고 작은 많은 일들이 생기고 부대끼면서 지내게 된다. 어떠한 관계

속에서 이벤트가 생기면 각자의 방식대로 생각을 하고 해결을 하게 된다. 그 해결과정에서 나와 다른 방향의 다양한 생각에 놀랐던 기억이 난다.

그때의 감정을 돌아보니 다양함 속에 존재하는 내가 익숙하지 않았다. 어쩌면 직장에서도 가치관이 비슷한 동료 혹은 선후배를 만나고, 친구는 당연히 더 그렇다. 다부에서 처음으로 아이 친구엄마들을 만났다. 그 다양함 속의 어색함과 시행착오는 나에게 값진 경험이었다.

나만의 경험 속에 깨달음은 내 친구가 아닌 아이 친구 엄마임을 인정하는 것이었다. 여기 내 친구 만나러 온 거 아니라는 생각을 할 때, 혼란스러움 속에서 명료하게 그 마음을 새길 때 내 생각을 강요하지 않고 의외로 상대를 더 존중하고 인정하게 됨을 알았다. 선을 긋는 것이 아니라 선을 지키는 것이 더 중요한 부분이라는 생각이 들었다.

다른 사람들 속에 다양한 생각을 가진 한 명으로 나 또한 여기서 존재함을 깨닫게 되었고, 상대의 감정을 이해하고 받아들이면서 나의 감정을 나눌 수 있는 편한 대화를 배우게 되었다.

다부초등학교는 이런 성장통이 있다. 다부 생활이 조금 아프지만 그때 성장하게 되는 것 같다. 내 인생에서 도전 받고 도전할 만한 가치가 있다. 책 한권 다 읽어도 나의 가슴에 오래 남는 건 책 속의 한 문장이듯, 1년의 다부생활을 다 이해한다는 것보다 한 가지 배움으로 조금 덜 아프고 한걸음 더 이해하게 된 지금 1년 다부 생활을 잘 지냈다고 스스로 위로해 본다.

함께하면 더 좋았지만, 많은 어려움 속에 떠난 가정이 잘 지낸다는 소식을 전해 들으면 꼭 다부의 시간만이 개인과 가정의 성장과 성숙을 일으키는 것은 아닌 것 같다. 짧은 시간이지만 여기서 많은 것을 경험했다고 생각한다. 나 또한 여기서 시간이 흐르기만 바라지 않고 아이와 가정의 관심과 성찰로 우리 가족이 성장하기를 기대해 본다.

다부 첫 해를 보내며

2학년 조안나, 조은솔 아빠 (조경래)

2022년, 학부모라는 평생의 첫 역할로 한 해를 보내고 있다. 상투적인 표현 같지만 정말 시간이 정신없이 흘러간 것 같다. 학기 중에는 매월 모임과 행사들이 있었고, 방학 중에는 또 나름의 분주한 시간으로 채워졌다. 그러다 정신차려보니 연말이 다가오고, 아이들의 1학년 생활을 마무리할 때가 되었다. 봄방학 없이 길어진 겨울방학 탓에 너무 빨리 마무리되는 것이 아닌지 아쉬움이 들기도 한다.

1학년이 끝나기는 지금 아이들은 참 많이 성장한 것 같다. 지난 1년 동안 학교에서 일어났던 일들을 돌아보면 그때마다 아이들은 나에게 감동을 선물하였다. 다부맨이 되어서 올바른 것이 무엇인지 보여주었고, 무대에 올라가 악기도 연주하였다. 자신 있게 마이크를 잡고 전교생이 다 들을 수 있도록 노래도 불렀다. 어릴 적 나의 모습과 비교해 보면 상상도 못할 일이라, 개인적으로 더 대견하게 느껴진다. 무엇보다 자신의 생각과 마음을 잘 표현할 수 있게 되었다. 아이들이 노는 것을 볼 때면 자신의 주장을 너무 강하게 이야기해서 서로 속상해하고, 때로는 너무 언쟁이 치열한 나머지 아슬아슬해 보이기도 한다. 하지만 확실히 입학할 때와 비교하면 분명한 수준 차이를 느낀다. 집에서 서로 열심히 연습(?)해서, 밖에서 더 조리 있게 이야기할 수 있기를 기대해 본다.

다부의 학부모는 다른 부모, 다른 아이들과의 교류 기회가 확실히 많다. 한 행사 안에서도 여러 활동이 나뉘고, 열심히 활동하다 보면 때로는 참여자가 되기도 하고, 또 잠시 쉴 때는 관찰자가 되기도 한다.

그래서 이따금 다른 이들을 통해서 내가 배워야할 것들을 발견하기도 한다. 물론 배울 점을 찾은 것과 변화되는 것은 별개의 것이다. 하지만 그러한 것들을 하나 둘 내 안에 쌓아놓다 보면 나도 '뭐라도 하나 긍정적으로 바뀌지 않을까?' 그저 기대해 보기도 한다.

우리의 겉모습은 서로 다르다. 우리의 속모습 또한 서로 다르다. 개인주의가 당연하게 받아들여지는 현실 속에서, 나는 지금 다부에서 그 다름을 어떻게 조화롭게 만들어 가는 지를 배워가고 있는지도 모른다. 악기를 연주할 때도 불협화음은 생기지만, 서로 조율하여 아름다운 하모니를 만든다. 불협화음도 하모니를 만들어 내기 위한 과정일 뿐이라 생각하면 견디기 어려운 일도 아니다. 학교 행사들의 이름만 봐도 어울리고 또 어울리지 않는가?

누군가는 별난 학부모들이라고 이야기한다. 기왕에 별나다는 소리를 듣게 된 김에, 우리 안에 유별나게 더 즐겁고 재밌는 어울림의 시간들로 채워졌으면 하는 바람이다.

6학년이
6학년에게

다 부 이 끔 이 에 게

"

6학년은 다부의 이끔이입니다.

1학년 입학하면서

6학년이 될 때까지

형님들의 사랑을 듬뿍 받았습니다.

그 사랑을 이제 6학년이 되어 나눕니다.

앞으로 6학년이 될 동생들에게

남기는 6학년의 이야기가 이제 시작됩니다.

"

다모임에서 도움이 되는 법

6학년 하승현

다모임에서 대표, 부대표가 얘기를 하고 있는데 동생들이 시끄럽다면

'조용히 하자!' 라고 말해준다.

6학년은 가장 높은 학년이어서 다모임이 모두의 일 같다. 그래서 시끄러울 때는 대표, 부대표를 제외한 거의 모든 6학년이 동생들에게 조용히 해 달라고 주의를 준다.

곳곳에서 6학년이 주의를 주면, 동생들도 조용해지는데 그러면 다 같이 다모임에서 도움이 된 거다.

6학년이 6학년에게

6학년 김건영

선거 준비하면서 공약도 생각이 잘 안 날 거고 선거가 얼마 안 남았다는 초조함도 느낄 것이다. 하지만 힘들다고 포기하면 안 된다. 힘든 만큼 좋은 결과도 있겠지만 낙선이라는 안 좋은 결과도 있을 것이다. 물론 당선된 후보들은 기쁠 것이고 낙선된 후보들은 속상할 것이다. 낙선된 후보들도 당선된 후보를 축하해 주고 당선된 후보들도 낙선된 후보를 위로해 주는 것이 진정한 후보의 행동 같다. 나도 열심히 공약을 준비하고 준비하는 과정에서 많이 힘들었다.

하지만 당선이라는 결과를 얻고 기뻤다.

처음에 안 뽑힐 것 같았지만 뽑혔다. 선거 준비하면서 공약을 진지하게 생각하는 것이 중요하고 후보들이 진짜 지킬 수 있는 공약들을 내야 한다.

당선이 되면 책임감 있게 최선을 다해 다모임 진행, 공약실천을 해야 하고, 당선된 대표, 부대표의 일이라고만 생각하면 안돼!

6학년 다 같이 생각하고 공약을 실천해야 한다. 대표, 부대표뿐만 아니라 6학년 모두가 힘들 것이니…. 파이팅!

글 잘 쓰는 방법

6학년 김영훈

　6학년이 되면 항상 무엇을 운영하고 활동하기 때문에 속상할 때도, 기분 좋을 때도 있다. 또한 행사나 이끔이가 되어 학교 일을 운영할 때에 대한 생각이나 느낌 같은 것도 자주 쓰기 때문에 글 쓸 일이 조금 더 많아진다. 그럴 때마다 좋은 글을 쓰려면 이 방법을 쓰면 도움이 된다.

　첫째, 일단 글을 쓰기 전에 구조와 뼈대를 짠다. 주제도 확실하게 기억해서 갑자기 이상한 길로 새면 안 된다. (이상하면 치과 가야해서 시간을 더 날리기 때문이다. 넝~담~) 구조와 뼈대를 짠다는 말을 예를 들어 논설문 형태로 쓸 건지 생활문 형태로 쓴다든지 결정하고 문단을 나눠보고 단어를 이용해서 마인드맵을 만드는 것도 좋은 예다.

　둘째, 개인적인 생각이지만 일단 잡다한 것까지 넣어 섬세하고 자세하고 길게 쓰고 간추린다.

위에 말했던 것처럼 단어를 연상하는 등의 방법으로 생각하고 연관되는 내용으로 쓰고 다시 한번 읽어보고 반복되거나 필요 없어 보이는 내용은 과감하게 빼는 게 좋다.

셋째, 크게 중요하진 않지만 다시 한번 읽어보고 맞춤법, 띄어쓰기를 검사한다. 맞춤법, 띄어쓰기 등이 완벽하면 더 멋진 글이 되기 때문이다.

이 방법으로 글을 한번 써보길 바란다.

선생님 생일파티 준비하는 법
6학년 이은소

선생님한테 일단 절대 들키면 안 된다. 왜냐하면 서프라이즈가 더 감동을 주기 때문이다. 그리고 남자애들을 잘 설득해야 한다. 간식을 준다고 하던가 "선생님이 우리한테 해주신 걸 생각해 봐."

이런 식으로 설득을 하면 대부분 넘어갈 것이다. 먼저 하자고 하면 끝까지 책임을 져야 하기 때문에 돈도 걷어야 하고, 케이크도 잘 골라야 한다. 케이크는 선생님이 좋아하시는 걸로 사면 더 좋다.

(예> 좋아하는 색깔, 동물, 취미...)

그리고 교실을 꾸밀 때는 다 쓴 소품은 잘 걷어서 보관해 놓으면 환경도 살릴 수 있고, 낭비되지 않는다.

생일파티를 꼭 해야 하는 건 아니지만 한 번쯤은 해보는 것도 추천한다. 의미가 있기도 하고, 뭔가 스릴도 있어서 재밌다.

선거에 떨어져도 상처받지 않는 법

6학년 이은소

만약 당선이 안 되더라도 너무 슬퍼하지 마!

나도 1학기 때 당선이 안 돼서 너무 슬펐는데, 시간이 조금 지나니까 나를 돌아보는 기회가 됐어. 내가 생각해도 1학기 때 선거는 좀 부끄럽고 귀찮아서 대충 한 것 같았거든.

2학기 때 다시 나갔는데, 그때는 1학기 때보다 더 성장한 기분이 들더라고. 오히려 1학기 때 낙선되길 잘했다는 생각도 들었어.

그러니까 혹시!

다모임 대표 선거에서 떨어지더라도 너무 많이 슬퍼할 필요 없어.

책상 서랍, 사물함을 깨끗하게 유지하는 법

6학년 김민아

수시로 확인한다.

학교 마칠 때 사물함을 필히 열게 될 것이다. 그때마다 깨끗한지 확인해야 한다.

불필요한 물건들은 사물함에 두고, 매일 쓰지 않는 교과서 같은 것들은 사물함에 넣어놔야 한다.

괜히 책상서랍에 놔두면 자리 차지만 된다.

달빛축제 진행을 잘하는 법

6학년 류민지

달빛축제 진행을 잘하는 방법은 일단 자신감이다. 대본을 읽을 때 최대한 당당하게 읽는다. 대본을 읽을 때 틀릴 수도 있지만 안틀렸다고 생각하고 틀려도 당황하지 않고 끝까지 읽어야 한다. 그리고는 빠르게 무대 밑으로 내려가야 한다.

무대가 끝나면 또 빨리 올라가서 멘트를 쳐야 한다. 이걸 몇 번이나 반복하면 기운이 엄청 빠져있을 것이다. 그래도 피곤해도 정신을 바짝 차려서 진행을 해야 하는데 나는 이 방법을 실패했다. 이 방법이 제일 어렵기 때문에 연습을 하거나 마음의 준비를 해야 한다.

상상이상으로 힘들기에 단단히 준비해야 한다.

달빛축제가 끝나면 거의 반 수면 상태이기에 집에가서 바로 잘 것이다.

이게 잘하는 방법이니까 잘 사용하면 좋겠다.

수업시간에 졸지 않는 방법

6학년 김대진

수업시간에 한 번쯤 졸아본 적 있지? 오늘은 수업시간에 졸지 않는 방법을 알아 보자!

수업시간에 너무 피곤해서 눈이 깜빡깜빡 할 때! 뺨을 약하게 톡톡 치거나, 물통을 뺨에 대면 조금은 잠에서 깰 수 있어. 잠깐 화장실에 가는 것도 좋은 방법이지.

이제 잘 알겠지? 잘 실천하도록 해.

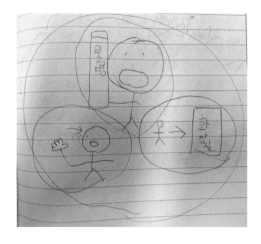

두레 잘 하는 법

6학년 최민준

　두레 선생님은 무조건 담임선생님을 골라야 한다. 이유는 두레 할 때 이동도 안 해도 되고 자기 반이라서 편하다. 만약 담임선생님을 못 고르면 두레선생님과 친해져야 한다. 그러면 두레선생님과 회의하기도 편하기 때문이다.

　두레장보다는 부두레장을 해야 한다. 이유는 두레장이 힘든 걸 대부분하기 때문이다. 만약에 두레장이 되면 돋보이는 걸 하고 부두레장이랑 같이 하면 된다.

　혼자 6학년이 되면 힘들다. 이유는 수업시간에 두레준비를 하면 5학년이랑 시간이 달라 혼자 준비해야 한다. 만약에 두레에서 6학년이 혼자라면 선생님한테 말해 5학년과 시간을 조율해 같이 준비한다.

달빛축제 TIP

6학년 배준우

6학년이 달빛축제를 치르면 일단 관람을 할 생각을 하지 말아라.

그날 하루는 짐꾼이 되었다고 생각하는 걸 추천한다.

보면대, 마이크대.

쉴 시간도 없다.

그래도 선생님께 열심히 하는 모습을 보이면 좋은 보상을 획득할 수 있다.

그래서 5학년이 마지막 관람이다.

이끔이를 잘하는 방법
6학년 박하음

　이끔이를 잘하려면 일단 목소리가 커야 해. 조용히 시킬 때 도움이 되거든.

　그리고 항상 동생들에게 친절하게 말해야 하고, 분위기가 좋아야 해. 분위기가 좋지 않으면 조용하고 어떤 말을 해야 할지도 모르겠으니까 꼭 분위기가 좋아야 해.

　그리고 동생들이 어려워하면 무조건 도와줘야 해!

동생들이랑 잘 놀아주는 방법
6학년 박하음

　　동생들이랑 잘 놀아주려면 동생들 말을 잘 들어주고 아주 재밌고 동생들을 생각하면서 놀아주는 게 좋아.

　　유치할수록 유리해. 왜냐하면 동생들이 자기들에게 맞춰 놀아주면 엄청 좋아하거든.

　　하지만 동생들이 버릇없고 기분 나쁘게 행동할 때는 바로바로 얘기해야 해. 동생들이라고 꼭 봐줘야 하는 건 아냐. 자꾸 봐주기만 하면 계속 힘들게 할 수도 있어.

자치부서를 어렵지 않게 하는 방법
6학년 조태연

자치부서를 할 때엔 자치부서장은 피하는 게 좋다.

자치부서장은 일단 힘든 건 다 자치부서장이 하기 때문이다. 하지만 자치부서장이 아닌 사람은 시키는 것만 하면 되기 때문이다.

만약 자치부서장이 된다면 이벤트를 만들 때 하기 쉽고 애들이 재밌어 하는 이벤트를 열면 아주 좋다. 하기 어려운 이벤트를 열면 자치부서원들만 열심히 하는 것 밖에 없는 것 같기 때문이다.

수학 잘하는 법

6학년 김지운

수학은 공식만 외우면 안 돼!

이유는 공식만 외우면 생각하는 힘을 기를 수 없어.

항상 왜 그럴까? 왜 이렇게 해야 하는 거지? 이런 생각을 가져야 해. 그리고 생각을 하는 거야!

아하, 이래서 그렇구나!

그럼 이 공식을 문제에 활용하는 거야.

수학 문제에는 식을 주고 풀라하지 않아!

내가 그 문제를 보고 식을 세워야지.

계속 생각해도 안 되면 선생님에게 물어봐. 하지만 그냥 네...네...이러면서 넘어가면 안돼! 이해가 될 때까지 생각을 해야 돼.

그럼 잘하게 될 거야!

두레 잘 짜는 법

6학년 이지호

두레를 짤 때 처음 잘못 짜면 1년 내내 고생한다.

그러니 처음 두레를 짤 때 잘 짜야 한다. 사실, 운동회 때는 팀을 합쳐서 하는 게 많아서 운동 밸런스는 큰 상관은 없다. 그런데 두레에서 요리 잘하는 사람이 없으면 가래떡데이에 정말 힘들다. 또 가래떡데이 메뉴는 어려운 거 말고 비교적 쉬운 떡볶이 같은 메뉴를 선택하는 게 좋다. 그리고 혹시 망할 경우를 대비해 삼각김밥이나 주먹밥 정도는 안전빵으로 선택하는 게 좋다.

노트정리 잘 하는 법

6학년 김건영

수학 문제를 풀 때는 푸는 과정, 문제와 풀이 과정을 적는다.

나중에 기억이 안 날 때 보면 알 수 있다.

영어는 모르는 단어, 문장과 해석을 적으면 영어 해석하는 실력이 늘고, 단어도 더 많이 외울 수 있다.

단, 노트를 알아볼 수 있게 적어야 하고, 과목을 구분할 수 있게 적어야 한다.

공을 빨리 던지는 법

6학년 배준우

공을 빨리 던지는 방법은 대부분 학생들이 그냥 팔로만 던진다. 그러면 아무리 세게 던져도 팔만 아프다.

그래서 온몸을 사용해서 던져야 한다. 피구를 할 때는 그냥 던져도 한 발 가지 않고 힘을 모아서 한발 가는 걸 연속 동작으로 빠르게 쓰고 허리를 이용해서 힘을 극대화하고 던질 때 팔에 힘을 빼고 빠르게 던지는 걸 추천한다.

6학년이 6학년에게

6학년 김건영

버스에서 잘 자는 방법은 가장 편안한 자세를 찾고 눈을 감는다. 만약 버스가 너무 시끄럽다면 버스 반장에게 시끄럽다고 하거나 애들한테 조용히 해달라고 한다.

그래도 시끄럽다면 버스 다모임을 한다고 말하면 그래도 조금은 조용해질 것이다.

그리고 다시 눈을 감고 있으면 잘 잘 수 있을 것이다.

2023학년

입학설명회

①

다 부 한 해 살 이

> 66
>
> 이제 우리 학교 활동을 소개해 드릴게요!
> 5학년 아이들이
> 다부 한해살이를 정리했습니다.
> 5학년은 역사를 배웁니다.
> 다부의 한해살이를
> 자신들의 눈으로 바라보고
> 정리했습니다.
> 사진도 5학년 아이들이 직접 골랐답니다.
>
> 99

입학식

안녕하세요? 저는 5학년 강다솜이 입니다.

저희는 입학식 때 6학년이 저희를 업어주고 손 잡으며,

등장했던 추억이 있어요.

지금 2, 3, 4학년은 입학식도 잘 하지 못 했어요.

요번에 들어온 1학년들은 학교가 지루하지 않고,

재밌다는 마음을 6학년 때 까지 그 느낌을 전해 주고 싶었어요.

그래서 이제 코나도 끝났으니 다시 시작하면 좋겠다.

라는 생각도 들었어요.

1학년들은 6학년에 손을 잡고 복도를 걸으며,

학교를 소개 해주는 등 다른 학년이 환영해주곤 해요.

학교에서는 환영한다고 크진 않지만 작은 선물도 줘요.

기대 하셔도 됩니다.

단단히 마음 먹고 오세요.

무조건 기대 이상 입니다.

어린이날

어린이 날

어린이 날은 소파 방정환 선생님이 만드신 위대한 날이에요. 학생들의 최고의 날이죠.
우리 학교에서는 페이스 페이팅도 하고 보물찾기도 해요. 그리고 부모님들의 편지도 받아요. 페이스 페인팅은 손에도 하고 얼굴에도 했어요. 보물찾기는 종이를 찾으면 선물을 주는 형식이에요. 마지막은 편지에요. 편지는 모든 학생들의 어머니가 익명으로 편지를 써주시고, 학생들이 편지를 내면 선생님이 줄에 걸어놓고 아무거나 뽑는 형태에요.
이처럼 어린이날은 우리에 최고의 날이고, 기다려져요. 어린이날 최고

다함께캠프

다함께 캠프는 전교생과, 선생님, 학부모님과 함께하는 "캠프"입니다.
다함께 캠프를 하면서, 학교에서 많이 놀지 못한 학생들과 더욱 있었고 친해질수있었고, 친구들과 더 재밌게 놀수있었습니다.

오전에는 두레 활동을 하고, 오후에는 학년 별로 간식(야식)을 먹었고, 레크레이션을 했습니다.

다함께 캠프에서 두레 활동을하면서 동생들을 챙기는게 힘들었지만, 옆에서 도와주는 6학년이 있어서 그 6학년 한테 많이 배웠고, 또즐거웠습니다.

감사합니다. ^^

어울림큰잔치

안녕하세요? ㄴ학년 최서율 입니다. 원래 어울림 큰잔치에는
학부모님들과 학생들이 함께 하는 동아리축제, 새로운 마술친구들을
위한 입학설명회, 여러가지 물건을 파는 바자회가 있어요!
저는 작년에 동아리축제에서 "러브다이브"라는 춤을 거쳐
줄 때, 정말 뿌듯했어요! 그치만 춤도 제대로 안배우고
사탕만 가져가는 사람도 있어서 어쉬웠어요ㅠ 그리고
바자회에서 장사를 했었는데 많이 사가주셔서 감사했
어요. 내년에 저의 마지막 어울림큰 잔치가 있었는데
기대해주세요~! 이를 읽어주셔서 감사합니다!

어울림한마당

어울림 한마당(운동회)
어울림 한마당을 하는 이유와
저의 의미를 알려드리겠습니다.
어울림 한마 당을 하는 이유는
두레끼리 재밌는 놀이를 즐기면
서 친해진다 생각하고 다른학
교 들은 평일에 해서 학생들
만 하는데 저희 학교는 주
말에 합니다.
그래서 부모님들 까지 다함께
할수있어요
부모님들은 자선에 자식에 두레
가아닌 다른두레에서 같이 할수
있어요

가래떡의 날

안녕하세요 저희 학교 가래 떡 데이에
대해 알려 드리겠습니다. 가래떡 데이에
는 농업인의 날과 함께 우리 먹거리의 소중함
을 되새기는 날입니다. 우리 학교는 그날
두레에서 요리를 해서 먹습니다.
저는 그러면서 협동심도 생기고 직접 만들어
먹어서 재미있고 잘되면 뿌듯해요.
그리고 꼭 다북초 오세요.

달빛축제

안녕하세요? 저는 5학년 권평안 입니다.
제가 달빛축제에 의미에 대해 설명 해 드리겠습니다.
달빛축제는 1년에 1번 학년 별로 공연을
하고 또 방과후에서 배운 것을 소개 해요.
다른 학년이 준비한 공연을 보고, 보여 주면서
나눠서 좋았어요. 제가 1학년 때 충북농부
연극을 했는데 학부모님들이 많이 구경을 해
주셔서 기분이 좋았어요. 또 4학년 때 영화를
찍었는데 학생들이랑 학부모님들이 많이 오고 기
뻐하는 모습을 하니까 뿌듯 했어요. 그래서 그런지
달빛축제를 빨리 또 하고 싶어요. 다부초
너무 좋죠! 꼭 오세요 ♡

빙상체험학습

빙상장에 가는 의미는 그 계절에 맞는 운동을 해서
나중에도 할수 있게하는 것이에요.
그리고 새로운 경험을 하러 가는 것 같아요
저는 스케이트를 타며 다른 친구, 동생을
도와줬던게 제일 기억에 남았어요.

졸업식

안녕하세요? 저는 5학년 유가람 입니다.
일단 졸업식은 우리학교의 이끔이 6학년이 저희 학교를
떠나 중학교에 가는 걸 축하해 주는 것 입니다. 저는
6학년이 떠날 때 마다 너무 너무 슬펐습니다. 6학년이
싫을 때도 있었지만 왠지 다부에서 못 본다고 생각하니
정말 아쉬웠거든요. 저는 1학년 때는 6학년과 추억을
많이 쌓지 못해서 졸업식이 별로 슬프지 않았어요.
그런데 학년이 올라갈 수록 점점 더 졸업식이 슬펐에요.
왜냐하면 6학년과 좋은 추억을 더 많이 쌓았기
때문인 것 같아요. 6학년들의 6년살이를 들으면 더
마음이 뭉클해 지고 감동적이었어요. 저도 졸업할 때
까지 후배들에게 멋진 선배가 되도록 노력하겠
습니다. 감사합니다.~♡

현장체험학습

다부에서 가는 현장체험 학습에서는 느낀점은
자신이 어디를 가고 싶고 자신의 의견이 반영 될 수
있어서 좋았다. 현장체험 학습을 가서 다른 일반 학교는
선생님만 따라 다니고   자유 시간이 잘 없었는데,
다부는 자유가 있고   자신의 의견을 반영 하는 걸
넘어서   현장체험 학습을 계획 할 수 있었다.
전에 다른 학교는 거의 다 선생님의 의견이 들어 있었다.
그래서 자신의 선택권이 없었는데 다부는 선택권이
있어서 좋았다.

소중한 날

안녕 하세요. 저는 방주원 입니다.

소중한날은 생일이 가까워 지는 사람들을 축하 해주는 자리 입니다. 소중 한날 선물은 편지 와, 직접 만든 선물을 줍니다. 소중한날을 하는 이유는 생일인 친구를 축하 해 주기 위해 매달 소중 한날을 합니다.

소중 한날때 먹는 간식은 젤리, 과자등 이 아니라 건강 하고 맛있는 간식으로 전교생 에게 나눠 주고 있습니다. 건강 하고 맛있는 간식은 생일자 들이 얘기를 해서 간식을 결정 합니다. 소중 한날 때는 생일자가 하고 싶은 놀이, 장기자랑 등을 합니다.

〈나의생각〉 저는 소중 한 날때 친구들이 생일을 축하해 줘서 고마 웠고, 생일 선물을 줘서 기뻤 습니다. 저의 글을 읽어 주셔서 감사 합니다

자치부서

안녕하세요? 저는 5학년 최서율 입니다. 먼저 자치부서란 선생님분들의 도움없이 5,6학년이 함께 계획하고, 실천하고, 함께 문제를 해결해내는 틈이에요? 그리고 자치부서는 스스로의 힘을 키우기 위해서 하고 있어요. 또 자치부서 활동은 전교생이 함께 어울리고, 즐기기 위해하는 활동이에요. 그리고 자치부서는 매년 새로운 5학년, 6학년이 모여서 회의하여 새로운 자치부서를 추가하거나, 빼고 있어요. 현재는 학생들과 재밌게 놀 수 있는 다놀부, 학교의 소식을 전하고, 문제를 해결하는 다포트크가, 맛있는 매점간식을 파는 DB 간식처방 등등이 있어요! 저는 슈퍼싱어에서 노래를 부르고, 항상 기뻐하는 모습이 가장기억에 남았었어요! 그리고 자치부서를 통해 점검 저만의 힘을 키워나가고 있는 것 같아요! ㅎㅎ 여기까지 긴 글 읽어주셔서 감사드리고 항상 행복한 다부신 되세요~♡

다모임

다모임 다모임은 후보중 뽑힌 2명이 진행 합니다. 학교의 문제를 말하고 다모임에서 회의를 해면 한달 매 달마다 진행 되며 선거간 문제를 말해서 고쳐간 안건이 많다. 그분 발언: 자신이 원하는 점을 즉석으로 안건들로 말한다 딱 한점 최대한 거개고 노려한다 한명씩 손들고 문제는 해결하니 단견히 학생이 만드는 학교인것 같습니다.

학생대표 선거

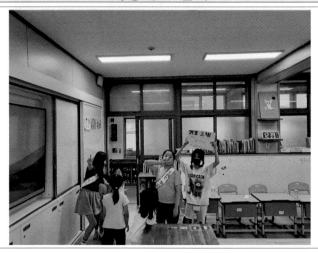

선거: 선거는 1학기, 2학기 1번씩 진행합니다. 약 반
학생 2명씩 짝을 만들어 대표 부대표로 나갑니다.
투표: 짝을 이룬 2명이 공약과 새로 좋은 공약을 모고
학생들의 한표 던집니다. 2
나의
생각은 선생님들가와 학교를 여꼭 여꾸거면 학생의
아무도 살 않거 못하 학생들이 원도우 잊거한 학생들이
여꼭이 나가면 학생들의 맘. 원하는 전를 쏘 늘거요
선거운동: 선거운동은 후원자와 함께 뽑아달라고
반아쪄 돌아다닙니다. 후신의 공약들 듣고 설득된 학생이
한 한들 골라 확률을 높아집니다. 4

두레

두레는 모두 학년이 한 학년에 1~2명씩 모여 8두레로 나눠 집니다.
두레는 한달에 1번씩 모여서 두레 활동을 합니다.
두레를 하면서 친하지 않던 학생도 친해 질수 있어요.
그리고 두레를 하면서 형님들은 부담감도 있지만 리더십을 키울수 있어요.
동생들은 의견을 내는 힘을 키울수 있어요.
무엇보다도 두레는 신나고 재밌어요.

동아리

안녕하세요. 5학년 이유정입니다. 학교에선
다양한 활동과 특별한 놀이 있는데 저는
그 중에서 동아리가 의미있고 좋아요. 동아리
는 매주 목요일 마다 3,4,5,6학년이 하는
활동입니다. 동아리를 하는 이유는 학년
들이 서로 어울리고 자기들이 해보고 싶은
걸 해보기위해서 입니다. 동아리 엔
TOY부,윤동부,요리부,기타부,다부요락 실이
있습니다. 동아리를 하면 평소 친하지
않은 아들과 친해지고 있어요. 그리고
그 분야를 더 알수 있습니다.

쉬는시간

ⓐ자유시간은 모든 학생들의 진짜 진짜
행복한 시간이에요.
ⓑ자유시간에 운동장에서 축구,야구도 하고 그
네도 탑니다. 같은 공간 다른 자리 교실에서는
보드게임도 하고 그림도 그려요. 또 다른
자리 다용관(강당)에서는 맨날 개
인피구해요.

이처럼 우린 행복하게 지내요.

2023학년
입학설명회

②

나 의 성 장

"

우리는 다부초에서 6년 동안
무엇을, 어떻게 배우고 있을까?
무엇을, 어떻게 배웠을까?
6학년이 졸업을 앞두고
자신의 성장 이야기를 들려줍니다.

"

배려 리더십 나무(성장)

김건영

우리 6학년 같은 경우에는 스스로공부를 하기 때문에 진도가 다다르다. 한 학기에 끝내야 되는 것을 못 끝낸 학생들도 몇몇 있다. 그 중 한 명이 나이기도 하다. 5학년때도 스스로공부로 수업을 했다. 나는 5학년때 스스로공부 때 한 수학을 거의 기억못해서 6학년 1학기 수학을 풀기가 힘들었다. 학원을 다니면서 실력을 좀 늘리고 싶었다. 2학기 때부터는 수학학원을 다니게 되면서 학교에서 배우는 것도 조금씩 이해하기 시작했다.

하지만 다부초에서 얻어가는 공부들도 있다. 나는 배려와 리더쉽을 배워가는 것 같다.

스스로공부를 할 때 수학공부를 하면서 모르는 문제가 있었는데 생각을 해도 도저히 모르겠으면 옆자리 친구에게 종종 도와달라고 한다. 옆자리 친구도 할 일이 있는데 나를 도와줘서 고마웠다. 그래서 나도 그 친구가 영어단어를 외울 때 영어 문제를 내주면서 도와준 적이 있다.

그리고 다부초 6학년들은 마중물이 되어서 활동하는 일이 많다. 두레, 동아리, 다모임이 있는데 그 중에 나는 두레활동이 제일 부담이 되는 것 같다. 나 혼자 6학년이기 때문에 5학년 동생들(나경, 유준)과 두레활동을 이끌어 가야하기 때문이다. 두레활동을 처음 할 때는 애들이 말도 안 듣고 계속 돌아다니고 그래서 많이 힘들었지만 지금은 5학년이 잘 도와주고 집중도 잘해준다.

저번 주에 가래떡데이 회의를 했다. 의견도 많이 안 나왔고 애들이 계속 장난만 쳤다. 그때 나경이가 의견을 2개 내어주었고 유준이는 동생들이 장난칠 때 장난치지 말라고 말려줘서 고마웠다. 그리고 내가 두레원들에게 무엇을 가져와달라고 할 때 거절하지 않고 미루지 않고 잘 도와주어서 고맙다.

다부초를 다니면서 그래도 다른 초등학교보다는 배려하는 마음과 리더십을 좀 깊게 알면서 배워가는 것 같다.

해보자.

쫄지 말자.

가능, 하다.

다부는 나를 성장 시키는 곳

이은소

나는 5학년 때까지는 나서는 것도 싫어했고, 주도적으로 이끄는 것도 별로 좋아하지 않았다. 하지만 5학년 말쯤 선거에 나갔다. 내년에 입학하는 동생들에게 즐거운 학교를 선물 해주고 싶었다. 하지만 그때도 나서는 것을 별로 좋아하지 않아서 '어떻게든 되겠지'라는 생각으로 선거운동원들한테 운동을 맡겨놓고 나는 대충대충 했다. 그래서 '낙선'이라는 결과를 안았고, 나는 그걸 인정하지 못했다. 내가 내 자신을 돌아보고 나서 그제서야 결과를 받아들였다. 부끄러웠다.

6학년이 되면서 나는 두레장이 되었다. 두레 첫 만남 때 두레 동생들이 자기소개하는 것도 싫어하고, 친한 애들끼리만 이야기했다. 두레장이 되어서 부담스럽기도 한데 분위기도 안 좋아서 어쩔 줄 몰랐다. 그래도 두레장이니까 분위기를 만들기 위해 친해지는 게임도 하고, 아이엠 그라운드도 하자고 했다. 그랬더니 두레 분위기도 재밌어지고, 두루두루 친해졌다. 끝날 때쯤 두레 동생들이 "두레 재밌었다", "두레 또 하고 싶다."라고 해주었다. 그 후로 나서기에 대한 부담감과 두려움이 많이 없어졌다.

그래서 나는 포기하지 않고 6학년 2학기 때 다시 선거에 나갔다. 작년에 나를 지우고 정말 최선을 다했다. 너무 힘들고, 귀찮은 마음도 들었지만 작년의 나를 지우고 열심히 했더니 결국 당선이 되었다. 기쁜 마음도 들었지만, 내 자신이 성장 했다는 생각도 들었다.

물음표 살인마

박주현

예전에 다녔던 학원은 숙제를 적게 내줬다. 근데 모르는 문제를 내가 스스로 풀어가서 틀리면 "이거 왜 해왔어!!! 모르면 물어야지!"라고 화를 냈다. 몰라서 안해가면 "이거 왜 안 해왔어!!!"라고 화를 냈다. 어떨 땐 문제를 풀면 식은 다 틀렸는데 답만 보고 채점해서 나중에 "사실 이거 다 틀렸었는데 정답처리 해줬다."고 화를 내시는 이해가 안되는 말들을 하신 적도 있다.

지금은 끊고 과외를 하는데 질문을 해도 잘 설명 해 주시고 빨리 풀 수 있는 꿀팁 등을 알려주셔서 정말 재미있다. 학원 끊길 잘한 것 같다.

학교에서는 자습시간처럼 스스로공부 시간이 있다. 그런데 검사받는 시간에 선생님이 되도 않는 질문을 하신다.

"이건 왜 이렇게 돼?", "이건 왜 이렇게 하라고 하는 걸까?"

예를 들어 "분수의 나눗셈에서 나누기는 왜 곱셈으로 바꿔?"

이런 질문들을 한다.

나는 교과서에서 이렇게 하라해서 한 것 뿐인데 그런 질문을 하니 너무 어이 없고 한번씩 답답하다. 스스로공부 시간은 속도를 자기 속도에 맞춰 할 수 있는 장점도 있지만, 이런 질문을 받는 단점도 있는 것 같다.

더 이상 선생님이 그런 질문을 안했으면 좋겠다. 근데 선생님은 이런 질문을 계속 할 거라고 한다. 선생님 나쁘다.

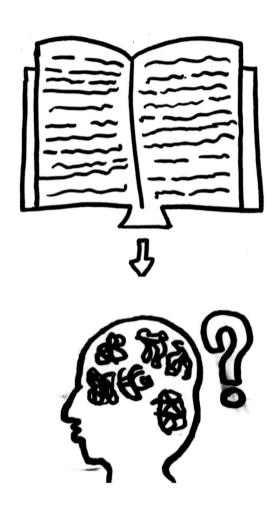

다부초는 생각학원

김민아

공부는 필요하다고 생각한다. 실생활에도 쓸 데가 많을 것 같다. 공부는 잘 하고 싶고, 잘한다고 생각하면 기분이 좋다.

하지만 우리 학교에서 하는 공부는 실력 기르기보단 생각하는 힘을 기르는 공부를 많이 한다. 스스로 생각을 많이 하고 이 글을 쓰는 지금도 생각을 많이 하고 있다. 많은 생각을 정리하는게 힘들 때가 있다. 그래도 생각하는 힘을 기르는 공부가 날 더 알아갈 수 있어서 잘 맞는 것 같다.
사실 문제 푸는 것도 잘하고 싶다. 실력을 기르는 공부를 할 때 '내가 잘 하고 있는 걸까?'라는 생각이 들어서 답답할 때도 있다.

그래도 생각하는 힘을 기르는 공부도 언젠간 쓸 데가 있지 않을까?

귀찮은 자치부서,
하기 싫진 않은 자치부서

조태연

나는 솔직히 자치부서를 하는 게 싫다. 귀찮고 힘들다.

5학년 때는 코로나에 걸려서 이끔이배움터를 하지 않았다. 자치부서 할 때 하는 것도 많지 않고 작년 6학년이 도와줘서 좋긴 했는데, 그래도 하기 싫었다. 쉬는 시간을 뺏긴다고 생각해서이다. 그래도 기억에 남는 일이 있다. 6학년이 수학여행을 갔을 때이다. 나는 그때 놀이부였는데 놀이부 6학년이 갑자기 놀이부 일을 떠넘겨서 당황스럽고 '내가 잘할 수 있을까?' 부담스럽고 걱정이 되기도 했다. 6학년이 없는 날 놀이부를 하면서 준비할 땐 좀만 더 하면 돼서 괜찮았다. 그런데 진행할 때 애들이 말을 안 들어서 엄청 힘들었다. 하지만 진행을 끝내고 나니까 6학년이 없어도 잘할 수 있는 것 같아서 뿌듯했다.

6학년이 돼서 자치부서를 하면서 뿌듯한 것도 있었지만 그래도 힘들고 하기 싫다. 자치부서를 그냥 안하고 싶다고 말할려고 한 적도 있는데 같은 자치부서원한테 눈치가 보여서 못 말했다. 결국엔 지금까지 왔는데 또 지금은 자치부서를 하는 날이 얼마 남지도 않았고 이왕 한 거 졸업까지 하고 싶어서 자치부서를 하기 싫지는 않다.

자치부서는 왜 할까?

김지운

안녕하세요. 저는 6학년 김지운입니다. 저는 자치부서 얘기를 하겠습니다.

저는 5학년 때 계속 해왔으니까 했습니다. 그래서 저는 "아, 하기 싫은데 해야하고... 아, 그냥 대충 해야겠다." 이런 생각으로 계속 해 왔습니다.

6학년 1학기 때는 게시판부를 했습니다. 하지만 5학년과 같이 대충 했습니다. 이유는 생일자 사진 찍을 때 애들이 논다고 잘 안오고 도장 찍는 애는 논다고 안와서입니다.

그리고 6학년 2학기 때는 다퀴즈를 했습니다. 하지만 다퀴즈는 열심히 했습니다. 다퀴즈를 할 때는 애들보고 오라하면 오고 가만히 영상을 찍어서 별로 안 귀찮고 내 말을 잘 들어주기 때문입니다. 이제 다퀴즈는 내 일처럼 느껴집니다.

생각의 변화도 생겼습니다. 옛날에는 계속 해왔으니까 해야한다에서 내가 맡은 일이니 열심히 하자는 생각으로 바뀌었습니다.

자치부서는 책임감 때문에 하는 것 같습니다.
그리고 저는 자치부서를 하면서 책임감을 가지게 된 것 같습니다.

니들 때문에

성준우

다부초에서는 몸과 마음이 힘들다.
저학년일 때는 멀미 때문에 몸이 힘들다.
3학년 때는 돌봄에서 먹던 간식을 못 먹어서 몸이 힘들다.

지금까지는 몸이 힘들지만 6학년이 되면 마음도 힘들다.
많은 동생들은 이끌어야 되는데
내 말을 잘 안듣는다.
그래서 무시 당하는 느낌이 든다.

그래도 계속해야 하는 이유는
이끔이여서 해야되는 이유도 있고
다른 애들 눈치도 쫌 보인다.

근데 진짜 이유는

내가 그만하면
다른 6학년이 내 몫까지 해야 돼서
다른 6학년이 더 힘들어져서 계속한다.

자유와 함께

김영훈

학생들의 언행은 어떠한가요?

다부초는 자유시간이 많고 학생들의 의견이 많이 반영되는 자유로운 분위기다. 물론 자유가 좋지만, 선을 지키지 못해서 욕, 폭력을 사용하는 일도 많다.

나도 입학했을 때부터 욕을 많이 들었다. 형님들이 너무 욕을 써서 좋은 뜻인 줄 알고 나도 저학년 때 욕을 쓴 적이 있다. 나중에 내가 한 말이 나쁜 말인지 알았을 때 충격을 받았다. 그래서 학년이 올라가고 욕의 뜻도 알고 절대 욕을 쓰지 않겠다고 다짐했었다.

욕과 비슷하게 싸움이나 심한 장난도 적지 않다. 꼭 싸움만이 아니라 친구가 싫어하는 장난(예를 들어 찌르기, 머리 잡아 당기기, 친구 위에 올라타기, 꼬집기, 등 때리기 같은)도 많이 친다.

물론 우리학교가 범죄도시도 아니고 이런 행동만 하는 건 아니다. 우리는 여러 문제를 해결하는 다모임이 있다.

전체 다모임은 1달에 1번 전교생이 모여서 회의를 하는 자리이다. 위에서 말한 2가지 문제를 포함한 버스 문제, 자치부서 문제, 개인물건 문제 등 아주 많은 문제와 자치예산보고, 같이 도왔으면 좋겠는 일 등과 칭찬할 점도 얘기한다. 이런 다모임으로 우리 언행이 고쳐진 적도 있다.

예를 들어 학생이 욕을 쓰면 옆에서 알려주자 하고 선언 비슷하게도 했었다. 그리고 한 몇 개월은 나아졌던 것 같기도 했다. 하지만 몇 명이 조심하지 않으면 모두가 따라 하면서 다시 같은 일이 생긴다. 그래서 계속 다모임을 해야 한다.

옛날에는 다모임에서 이야기하는 일들이 나와 관련 없는 문제들이라 생각하고 항상 지루해서 친구와 장난도 치고 엎드려 있을 때도 있었다. 5,6학년이 되고 학교의 문제와 얘기할 점을 파악하고 학생자치예산 총무도 하고 발표도 자주 하고 조용히 시키는 일도 많이 하게 되었다. 다모임을 이끄는 고학년이 되니까 내가 어릴 때 했던 행동이 고학년 형님들한테는 굉장히 얄밉고 불편한 행동이었다는 것도 깨달았다.

요즘은 새로 생긴 버스, 조금씩 흔들리는 자치부서에 대해 얘기를 하고 있다. 이 얘기도 시급한 것 같다. 모두 노력하면 좋겠다.

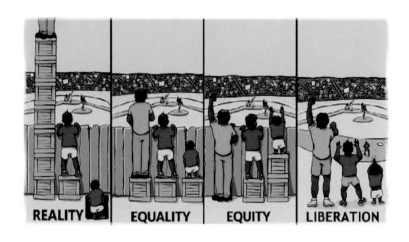

다부초는 마음껏 할 수 없다

배준우

다부초는 어떤 학교보다도 모든 학년과 함께 해야한다. 노는 것도 같이 놀고 두레, 자치부서, 동아리... 반이 학년당 1개씩 밖에 없으니 더욱더 같이 지내야 한다. 그런 이유로 다툼과 불편한 점이 많이 생긴다.

다툼을 말리려면 결국 선배, 후배의 벽을 낮추고 학교가 하나의 반이 되어야 한다. 그래서 우리는 매년 배려를 배워왔고 배우는 중이다.

나 같은 경우는 신체조건이 좋은 편이어서 개인피구를 같이할 때 저학년들에게 힘 조절이 필요하고 심지어 야구를 하면 투수를 시켜주지 않는다. 그래서 제대로 열심히 하고 싶지만 할 수 없는 경우도 많이 있다. 동생들이 몰라주는 것 같아 서운한 부분도 있다.

그래도 나도 저학년 때 그런 배려를 받아왔고 나도 지금 받은 배려를 베푸는 것 같다. 지금 저학년들도 고학년이 되면 지금 고학년처럼 꼭 해줄 것이다.

한 입 먹어봐야 안다

김대진

다른 학교 학생들은 우리 학교가 작고 촌스러운 학교라고 생각하지만 그런 것이 장점이다. 반이 1개 밖에 없어서 똑같은 친구들과 같이 성장할 수 있다. 촌스러운 건 자연과 가까워서 그렇다. 예를들어 닭들을 돌보며 동물과 친근해질 수 있고, 밭을 가꾸며 식물과도 가까워질 수 있다. 그리고 전교생이 80명에서 90명밖에 되지 않기 때문에 이름도 다 외우고 모두와 친하게 지낼 수 있다.

3학년이 되면서 자치부서가 생겼다. 새로운 것이 생기면서 나는 우리학교가 특별한 학교인지 궁금했다. 그래서 선생님께 "우리학교가 특별한가요?"라고 물었다. 그러니 선생님께서 "그럼. 다른 학교는 자연과도 가깝지 않고 특별한 날도 많이 없어. 게다가 우리 학교는 두레, 자치부서, 자율동아리도 있지. 다른 학교와는 다르다구. 학생을 평가하지 않고 모두 함께 해."라고 말씀하셨다.

여러 축제들을 할 때마다 우리 학교가 정말 특별하다는 걸 느낀다. 예를 들어 달빛 축제를 할 때 우리는 모두 함께 힘을 합쳐 우리의 성장을 보여주고, 달빛축제에 뭐할지도 우리가 정한다는 것을 정말 자랑스럽게 여겼다. 또한 운동회를 할 때 평가하지 않고 비난하지 않고 협동해서 모두 즐거워질 수 있었다.

6학년이 돼서는 어려운 일이 많았다. 이끌어야 할 게 많아져서 그렇다. 두레장도 해야하고 동아리장 부서장 등 이끌 게 너무 많아진다. 물론 몸도 힘들지만 내 마음이 정말 힘들다. 두레, 동아리에서는 동생들이 내 말에 귀 기울여주지 않고 자기 멋대로 행동하면 나 스스로 자책하거나 다른 6학년에게 의존하고 싶어진다. 학원도 다녀야 하고 할 게 많은데 이끔이 일을 해야 해서 머리가 너무 아프다. 너무 힘들지만 힘드니까 더 중요한 일이라고 생각한다. 그래서 힘든 것도 특별하다.

다부는 우리와 함께 성장하고 있다. 처음엔 비록 작고 촌스러운 학교라고 생각했지만 다부와 함께 성장하다보니 공감을 잘 하시는 선생님들, 모두 함께 노는 친구들, 작긴하지만 아늑하고 예쁜 학교 너무 좋다. 나는 이런 학교가 다부초 밖에 없다는 것을 강일병 선생님 덕에 알게 되었다. 감사하고 다부초에 들어오길 잘 한 것 같다.

남들과는 다른 시선

이지호

나는 4학년 때 다부초로 전학왔다. 그래서 두 학교를 비교하는 이야기는 내가 제일 잘 할 수 있다. 전학왔을 때 방과 후 활동이 음악밖에 없는 것은 별로였지만 좋은 점이 더 많은 것 같다.

가장 좋았던 점은 운동장에서 모든 학년이 함께 노는 것이었다. 전 학교에서는 5, 6학년이 운동장을 독점해서 쓰면서 자기들 하고 친하거나 축구 잘하는 얘들만 끼워줘서 운동장을 거의 못 썼는데 여기서는 학년 상관없이 운동장을 함께 쓰는 것이 가장 좋은 것 같다.

친한 애들이 있는데 새로운 학교로 전학가면 친구 사귀기도 힘들 것 같아서 전학가기 싫었는데, 쉬는 시간이 모여있어서 애들이랑 자주 놀다 보니 금방 친해질 수 있었다.

6학년이 되니 이제는 공부보다 회의를 더 많이 해서 조금 힘들다. 우선 회의 자체가 오래 집중해야 해서 힘들고 학원을 별로 안 다니는데 중학교 가서 잘할 수 있을까 하는 걱정이 되기도 한다.

그래도 다른 학교보다는 쉬는 시간도 많고 선생님이 가르쳐 주시기만 하는 수업보다는 스스로 본인의 속도에 맞춰서 할 수 있는 스스로 공부 등으로 하는 수업과 두레, 다모임 등으로 다부에 있는 동안 정말 많이 성장한 것 같다.

왜 부모님은 날 다부초에 보냈을까?

류민지

나는 처음 1학년으로 입학했을 때 부모님이 이 학교에 다니라고 해서 그 냥 아무것도 모른 채 입학했다. 고학년이 되었을 때 학원에 다니는 다른 학교 친구들과 친해지기도 했다. 다른 학교에 다니는 친구들한테 다부초 에 대한 행사나 다모임을 하는 걸 한다고 말해줬었다. 그런데 다른 학교 는 다모임을 안한다고 했을 때 정말로 놀랐다. 그 말을 듣고 처음 생각 난 말은 '그럼 어떻게 학교의 문제를 해결하는지?' 궁금증이 났다. 다른 학교와 다부초가 다른 점이 많다는 걸 잘은 몰랐다.

다부초는 행사나 다모임을 많이 한다. 나는 행사 중에서 달빛축제라는 행사를 가장 좋아하는데 달빛축제 행사는 밤에 학부모님들이 오시고 학 년 별로 무대를 준비하고 함께 보는 행사이다. 많이 피곤하지만 난 무대 보는 걸 좋아해서 달빛축제가 가장 좋다. 우리도 연극 같은 무대를 준비 하는 것도 재밌다.

그리고 다모임은 전교생이 다모여서 학교 문제를 고치는 큰 회의다. 저학년 때는 다모임의 분위기가 무서웠다. 이유는 누가 나한테 의견을 강제적으로 말하라고 시킬 거 같아서 한 번도 다모임에서 의견을 말한 적이 없었다. 그리고 원래 나는 친한 애들끼리 만 놀고 다른 애들이랑은 말도 잘하지 않았다.

그런데 계속 어울리다 보니 친구들과 선생님들이 많이 밝고 **활발해졌**다 고 말해주었다. 그리고 고학년이 돼서 이끔이 활동을 시작하고부터 다모 임 할 때 의견을 많이 내었다. 그리고 심지어 전에는 절대 못할 것 같았 던 학생 대표 선거에 나가게 되었다. 기쁘게 나는 당선이 되었다.

지금은 다모임을 할 때 진행도 하고 의견과 발표도 많이 한다. 그리고 내가 의견을 내면 받아들여질 때도 많다. 다부초가 다모임을 하는 건 좋은 거 같다.

우리 부모님은 날 왜 다부초에 보냈을까?
이런 이유로 부모님이 다부초에 보낸 거 같다.

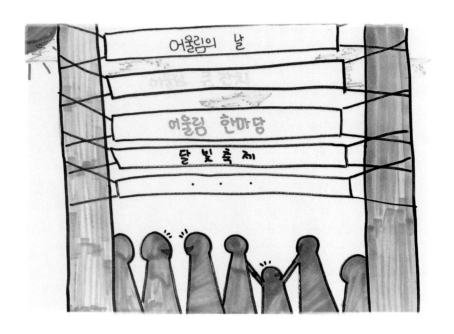

모두 모여서 더 재미있는 다부초의 축제

하승현

우리 학교는 재밌는 행사도 많고 자치부서 동아리 같은 특별한 활동도 많아서 재밌다. 특히 동아리 축제나 달빛축제가 다가오면 더 재밌다. 나는 학교에 오기 위해 준비하는 동안은 별로 재밌지 않지만 학교에 오면 재밌다.

요즘은 내가 좋아하는 행사들이 많이 있어서 좋다. 다른 학교에 다니는 친구와 학교 얘기를 하면 나는 우리 학교의 축제 이야기를 한다.

나는 2학년 2학기 때 전학왔는데, 다른 학교에서의 체육대회는 학년별로 나누어서 하기도 했고 재미도 없었다. 하지만 우리 학교에서는 졸업생도 와서 달리기를 하고, 부모님도 줄다리기를 하신다. 끝나면 학교에 남아 놀이를 하는 것도 재미있다.

6학년인 나는 행사에서 동생들을 챙기고 부스운영도 하고 방과후 공연 등을 한다. 내 역할이 많아서 더 재밌는 것 같다.

우리도 역할이 있지만 부모님들의 역할도 있다. 부모님들은 부스운영, 달리기 등을 하신다. 그래서 대부분의 학부모님들도 행사에 오신다. 재밌어도 주말에 나오려니 힘드신 부모님들도 계신 것 같다.

그래도 나는 100명도 안되는 학생들끼리 놀기보다는 부모님들이 오셔서 더 많은 사람들이 같이 참여하는 게 좋다.

6학년 학생과 선생님 협의회(6교협)

새로운 길

최민준

다부초는 공부만 중요시하지 않고 활동을 많이 한다. 활동 중 내가 가장 기억에 남는 일은 두레활동이다. 두레활동은 1학년부터 6학년까지 친해지기 위해 만든 것이다.

내가 처음 전학 왔을 때 공부를 하는 수업시간에 1학년부터 6학년까지 친해지기 위해 수업시간을 빼면서 두레활동을 하는 걸 보고 놀랐다. "왜 하지?" 생각이 됐지만 두레에서 음식을 만들어 먹고, 놀고 하면서 친해져서 지금은 두레가 필요하다고 생각된다.

두 번째로 다부초는 선생님이 모든 걸 결정하지 않고 학생이 정한다. 기억에 남는 건 6교협이 있다. 6교협은 6학년과 선생님들의 회의하는 시간이다.

전교회장, 부회장이 공약으로 버스다모임을 냈다. 그 버스다모임은 쉬는 시간에 하자는 선생님의 의견과 수업 시간에 하자는 6학년의 의견이 있었다. 보통의 학교는 선생님들끼리 정해 쉬는 시간에 했겠지만 다부초는 6교협을 통해 6학년과 선생님들이 회의를 해 토론을 하고 표결을 해서 정했다.

다부초는 선생님이 아닌 학생이 학교의 주인이다.

나는 한울안 중학교에 갈 것이다. 이유는 한울안 중학교는 다부초랑 닮은 점이 많기 때문이다.